湛庐文化 · Cheers Publishing

a mindstyle business
与 思 想 有 关

不安世界的"安全感"导师
塔玛·琼斯基
Tamar Chansky

儿童强迫症和焦虑问题研究中心创始人
关注情绪管理的儿童心理大师

Tamar Chansky

心理学世家走出的儿童心理学家

琼斯基博士的父亲是一名心理学家，母亲在医疗行业工作，在这种家庭氛围的熏陶下，她进入心理学界简直是水到渠成的事。高中毕业后，她考入斯沃斯莫尔学院学习心理学，随后在宾夕法尼亚大学攻读教育学硕士学位。

　　起初，琼斯基博士并不知道自己对焦虑症这么感兴趣，她只知道，自己并不擅长统计计算类的研究，所以在读研究生期间，她申请做与病人直接接触的实习医师。最好的实习工作是用认知行为疗法治疗焦虑症儿童,琼斯基博士发现这个工作非常有意义。通过有趣的短期治疗，孩子们就能学会如何改变自己的人生，太神奇了！自从那时起，琼斯基博士就一直致力于儿童焦虑症的治疗工作。

专注于儿童焦虑问题研究 30 年

早在 20 世纪 80 年代晚期，塔玛·琼斯基在读研究生的时候，就开始研究针对焦虑的认知行为治疗。从 1995 年开始，她成为焦虑问题治疗专家，她使用认知行为疗法，为小至 3 岁的儿童提供治疗，为父母们提供咨询。1999 年，她在宾夕法尼亚州创立了儿童强迫症和焦虑问题研究中心，后来扩大关注范围，更名为儿童与成人强迫症和焦虑问题研究中心。塔玛·琼斯基全部职业生涯致力于帮助儿童、青少年和成年人"让心灵成为更安全的地方"。

塔玛·琼斯基是美国著名的临床精神医学博士、情绪研究专家、临床心理学大师。她是美国心理协会和宾夕法尼亚行为治疗协会的会员。她在天普大学获得博士学位，在宾夕法尼亚医院研究所完成实习培训。

美国的"知心姐姐"

就像知心姐姐一样,她经常接受知名报纸、杂志和广播电台的邀请,讲解心理调节和情绪管理方面的技巧和知识,包括《福布斯》、《纽约时报》、《父母世界 Parents》、美国国家公共广播电台、TLC 电视台等。琼斯基博士热情地帮助孩子、父母和其他成年人以新的视角理解焦虑心理的来龙去脉,从而克服不必要的焦虑感,追求他们想要过的生活。

此外,她还在《赫芬顿邮报》和《今日心理学》杂志开设专栏,帮助人们更乐观地生活。2004 年,她创立了教育网站 www.worrywisekids.org,同父母和老师们一起,帮助焦虑的孩子。

让孩子
远离焦虑

帮助孩子摆脱不安、害怕
与恐惧的心理课

Tamar E. Chansky

[美] 塔玛·琼斯基◎著

吴宛蒙◎译

FREEING
YOUR
CHILD
FROM
ANXIETY

浙江人民出版社
ZHEJIANG PEOPLE'S PUBLISHING HOUSE

FREEING
YOUR CHILD
from
ANXIETY

目 录

引 言 /001
独自焦虑的孩子

第一部分　**焦虑的背后**　/009
　　　　　焦虑的形成与应对机制

01　**理解孩子的焦虑**　/011
　　儿童焦虑与恐惧的成因

　　危险！焦虑儿童的思维方式
　　恐惧！焦虑和痛苦的根源
　　哪些孩子会焦虑

02　**你的孩子焦虑吗**　/023
　　儿童焦虑的信号

　　焦虑出没！危险信号与判断标准
　　五种焦虑！从分离焦虑到恐惧症

03　**你该怎么办**　/035
　　应对焦虑的求助选项

　　求助！儿童心理学家的建议
　　选择！认知行为疗法与药物

04 │**认识焦虑的大脑**│ /045
应对焦虑的自助选项

焦虑的想法决定焦虑的行为

训练儿童的大脑！寻找想法岔路口

发现焦虑的六堂课

05 │**焦虑管理计划**│ /065
帮助孩子应对焦虑的方法

第一步：理解孩子的感觉

第二步：给焦虑大脑重贴标签

第三步：启用第二反应

第四步：关掉身体的警报

第五步：让孩子自己做主

第六步：鼓励

第二部分　　**直面焦虑**　/079
从害怕、担心到严重的焦虑

06 │**无法放松的孩子**│ /083
从日常焦虑到广泛性焦虑症

并不是每个警钟都是为你而鸣

干预方法：启用第二反应

【焦虑的孩子】甩掉控制的伊丽莎白

07 │**战战兢兢的小孩**│ /095
从一般恐惧到真正的恐惧症

恐惧的信号

干预方法：和孩子一起学习

如何预防恐惧发生

【焦虑的孩子】怕狗的蕾妮

08 **害羞的孩子** /115
从害羞、社交焦虑到选择性缄默症

社交焦虑开始了

干预方法：降低风险，稳步取胜

【焦虑的孩子】不爱讲话的朱莉

选择性缄默症：无法表达的孩子

09 **粘人包** /129
从粘人、分离焦虑到恐慌症

生命中不能承受的分离

干预方法：三管齐下的分离训练

不再粘人：自信而健康的分离

【焦虑的孩子】粘着妈妈的莉娜与无法入睡的伊莎贝拉

恐慌：对恐惧的恐惧

【焦虑的孩子】凯拉与马特

10 **活在仪式里的孩子** /153
从仪式行为、强迫症到抽动障碍

强迫症：在孩子耳边咆哮的独裁者

干预方法：暴露与仪式行为阻止法

抽动障碍：一夜爆发的强迫症

【焦虑的孩子】马克与牛奶

11 **紧张的小孩** /173
从紧张到图雷特综合征

紧张时刻

紧张的危险信号

对不好的习惯和无意识的行为"喊停"

【焦虑的孩子】约翰 VS 梅兰妮

12 **悲伤的孩子** /187
从急性应激到创伤后应激障碍

心理伤痕：经历创伤事件之后

寻求专业帮助

【焦虑的孩子】迪莉娅的创伤时刻

第三部分　**焦虑之外**　/199

13　│**夜晚来临**│ /201
　　　　从夜间恐惧到睡眠焦虑

　　　　自己入睡，让孩子受益一生

　　　　帮助你的孩子顺利入睡

　　　　【焦虑的孩子】失眠的安妮

14　│**学校里的焦虑小孩**│ /211
　　　　学校、朋友与家人

　　　　面对不愿上学的孩子

　　　　焦虑孩子的关系管理：关于朋友和家人

15　│**与孩子谈谈现实的忧虑**│ /223
　　　　减轻孩子的压力

　　　　与孩子谈谈现实中的忧虑和恐惧

　　　　与孩子聊聊你的目的

16　│**从焦虑中解放出来**│ /231
　　　　让孩子自己掌舵

　　　　【焦虑的孩子】害怕死亡的茱莉娅

　　　　【焦虑的孩子】伊莎贝拉与亨利

译者后记　/235

独自焦虑的孩子

蒂娜是患童中年龄最大的一个，她总是很焦虑，问题不断，而且有点小题大做，像个"戏剧皇后"。大多数情况下，这些问题还勉强能够解决，但也有让我们束手无策的时候：她有时感觉恐惧并且拒绝尝试新事物；有时对自己毫无信心，坚信自己无法办到某些事情，比如演一场戏剧、参加一次考试甚至是打一通电话。她被自己的想法所困，认为有些事情是自己无法企及的，而我们又不知道怎样帮助她，让她知道问题是有方法来解决的。

有一天我发现丹没有和其他孩子一样在餐厅吃午饭，而是独自在浴室里用餐。我知道他很害羞，但是我并没有意识到生活对于他来讲是如此地难以忍受。他的人生不应该如此。我们必须要帮助他，但是我不知道从哪里着手。

凯莉是一个病得极其严重的孩子，生活对她来讲是一种负担，意识到这一点让我们万分痛苦。她每时每刻都在焦虑，她会为搭公车、患感冒、准备考试而焦虑，还会担心自己是否伤害到别人的感情、是否犯了错误。她从来都没法放松，总是保持高度戒备。她每天都在反复确认每件事，确保一切妥当，好像这是她的全职工作。我们要如何说服她，让她适时地放轻松呢？

马蒂并不是个焦虑的孩子，并且各方面表现都很好。当某天晚上他走下校车，在所有孩子面前说"我做不到"的时候，我惊呆了。我知道他被失眠困扰，这对他来讲是很丢脸的事情。我要如何帮助他克服这个困扰呢？

20 世纪最卓越的儿童文学家、教育学家苏斯博士（Dr. Seuss）说："树不能说话，所以我要为它代言。"焦虑的儿童正在默默地忍受着痛苦。现如今，越来越多成长中的儿童迫切地需要我们的帮助。不管怎么说，焦虑表面上并未造成极大的影响，他们并没有拖我们的后腿。在大部分时间里，焦虑的儿童在面对同伴、教师，以及家长时表现得都很好。他们的目标就是获取他人的信任，并且避免受到伤害。一些儿童并没有意识到他们正在焦虑，他们觉得生活本来就该是这样的。还有一些儿童知道自己与其他人不同，但是他们不想让别人发现这个事实。很多孩子都被认为是聪明的模范生，他们为了不被人发现自己的不同，付出了巨大的努力，但却不知道这种做法并非长久之计。一个试图隐藏焦虑的儿童，就好像是划过平静湖面的天鹅，水面上波光粼粼，一片宁静，而水面下却翻腾阵阵，这个过程是令人无比疲惫和极难忍受的。这些孩子的想法被焦虑困扰着，不能正常生活。他们觉得求救无门，但事实上他们还有其他选择，比如可以通过一系列的指导改变现状。这些孩子需要我们的帮助。当家长理解了焦虑的运行机制，就可以教给孩子们这些人生中必修的课程，将他们从焦虑的生活中解救出来，进而改变他们的世界。

虽然我在多年前就开始构思这本书，而新世纪的诸多不幸反倒成为一种契机。这些不幸让人们的情感处于一种超负荷的状态，曾经在我头脑中的这些想法突然紧密地与之联系起来，这让我更加关怀儿童。当我们自身的情感被越来越多的纷扰牵绊时，孩子的需要自然就越来越被无视。然而，这种无视一点好处也没有，无论是焦虑本身，还是产生焦虑的可能情境一直都存在着，且不可能自动消失。因此，我坚信我们的未来取决于我们对青少年焦虑预防的重视程度上。对于 9~11

岁孩子的焦虑情况，我们都了解哪些呢？我们发现，让孩子表达出他们的焦虑是至关重要的。需要考虑的因素有：

- 超过 13% 的儿童会受到焦虑症的影响，这是现今最普遍的儿童的精神状况。事实上，20 世纪 80 年代的学童比 50 年代的精神病患还要焦虑。
- 没有经过治疗的焦虑是不会自愈的，并且焦虑的状况会不断恶化，进一步会对心脏、免疫系统及呼吸系统等功能造成不良影响。
- 焦虑症在成年人心理病症中所占的比例最大。大多数患有焦虑症的成年人报告说他们的症状开始于儿童期。
- 美国在焦虑症方面每年花费 423 亿美元，主要用于残疾、住院治疗和医疗保健等方面。
- 焦虑症是治疗效果最明显的精神疾病。认知行为疗法是一种安全、有效，并由实证研究所验证的治疗方法。

我们有理由相信，家长可以承担教导儿童克服焦虑的工作。首先，家长要学习相关课程，这正是本书的写作目的。家长将会了解焦虑的方方面面，包括它的作用原理以及逐步降低焦虑的方法。当家长了解了焦虑形成的原理以及相应的解决方法，他们就不会感觉束手无策，不会被孩子们铺天盖地袭来的恐惧和焦虑所淹没。通过学习，家长可以将简单的应对策略带入到日常生活中。这些方法将会帮助儿童作好准备，当面临强大的焦虑源时，儿童能够凭借自身能力去成功应对。

严肃地对待工作并不总是意味着保持严肃的论调。大家将会在这本书中看到，我们试图使用各种创造性的表达方式，目的就是要让儿童接受和理解我们所说的。想想战争期间关于药品的广告，他们使用睿智的、创造性的，甚至是幽默的方式向大众传达信息。这场针对焦虑的战争也同样如此。

对于家长来说，最重要的一课就是不要从表面上理解焦虑。焦虑有其两面性，有时候它是一种理性的声音，在紧要关头可以帮助我们。同时，焦虑又是一个无情的夸大者，它令事实扭曲。对于焦虑的儿童，夸大扭曲的处事方式是他们遇事的默认反应。对这些孩子而言，他们的担心貌似很有说服力，但事实上这些担心独立于现实而存在,两者之间并没有交界。克服焦虑意味着挑战他们的习惯性思维,并且形成另外一种反应,这种反应与理性声音直接连通,通过这种方式与事实互通,将原来夸大的危险降低到一个可控制的范围内。家长可以鼓励孩子进行自主思维,这样可以开辟一种新的可能性,让孩子自发产生怀疑,主动出击克服焦虑,而不是被焦虑所困。这就要求家长在实践中应用认知行为疗法,这种方法可以简单地应用到家庭生活中。为了达到这个目标,家长要鼓励孩子倾诉焦虑,无论这些焦虑有无意义,要让孩子感觉到倾诉焦虑并不会带来麻烦,就好像交流数学题一样简单,这将是一个好的开始。

焦虑症的治疗效果鼓舞人心,它是最容易治疗的精神类疾病,认知行为疗法是我们最有力的工具。数以百计的研究结果支持了成年人焦虑症治疗的有效性,近年来更多的实验证明此结论亦可应用于儿童。儿童可以克服他们的症状,并且在治疗结束后,治疗效果可以长期保持。儿童可以学以致用,将方法融入日常生活之中。正如来自约翰·霍普金斯大学的焦虑症专家约翰·沃尔克普(John Walkup)博士及戈尔达·金斯伯格(Golda Ginsburg)所说:"对于一个'从出生甚至在子宫里就开始焦虑'的孩子,通过治疗,观察到他在'气质和人格'方面发生实质性的变化,这一过程,是非常激动人心的。"

过去,焦虑的儿童往往把焦虑忽视掉,更不妥当的处理方法是将焦虑封存,让自己继续保持恐惧、害羞,甚至对此习以为常。毫无疑问,我们对儿童焦虑的看法往往来自于对自身焦虑的无视。在我的办公室里,很多家长谈到他们并没有意识到焦虑的存在,没有想到日常生活中的"正常"的焦虑和烦恼,到了孩子那里就演变成了一种焦虑障碍。家长并不知道他们自身对于焦虑也是有易感性的,而孩子很有可能就遗传了这种倾向,这样两代人就会围绕着相同的内容产生焦虑。现在我们可以应用一些方法来打破这种怪圈,例如认识焦虑功能异常的真面目,并且学习克服焦虑的有效方案。

想法改变大脑

现今是个焦虑的时代，也是神经可塑性时代的开端。神经科学的进展研究表明：只要给予正确的训练，具有强大功能的大脑可以进行神经联结的改变或重组。在《思维与大脑》（*The Mind and the Brain*）一书中，杰弗里·施瓦茨（Jeffrey Schwartz）博士和莎伦·贝格利（Sharon Begley）博士认为,大脑环路运作遵循"最繁忙者生存"法则。换言之，无论形成怎样的大脑环路，大脑都要召集尽可能最多的神经元或脑细胞。这个概念在众多不同的脑功能中得到了应用，无论是讨论中风之后的功能恢复，还是对于强迫症、抽搐及反焦虑的争论。我们的焦虑越多，大脑将会越多、越快、越容易地映射那些焦虑的神经联结。当我们认识到焦虑是什么并且开始想办法消除焦虑的时候，我们实际上是在掌控思维的转换力，以此来改变大脑的处理过程。我们在构建神经联结和大脑环路中投入的时间和精力越多，就会形成越多的自动反应。

▍焦虑就是大脑功能障碍▍

我们该如何帮助孩子从焦虑中解脱出来，让他们可以自己做主，决定怎么想和怎么做呢？首先要做的就是分析焦虑信息，降低其困扰程度，而不是急于将忧虑消除。如果孩子来到你面前，非常苦恼地跟你述说电话推销员坚持要他购买产品的事情，你可能这样回答他："他只是一个电话推销员，他的工作就是推销，让顾客产生购买的欲望和急迫感，事实上，他根本就不知道你真正需要什么。"将"电话推销员"这个词用"焦虑的大脑"来替代，你就知道如何引导你的孩子进行批判性思考了。对于幼童来说，可以先给焦虑起个名字，比如起名叫"嗡嗡的烦恼虫"。对于稍大些的儿童，可以将其看作焦虑录音带或者夸大器，教儿童用心去聆听和分析焦虑，以提高他们的觉察水平。应用这种生动的方法，焦虑将不再是无法逾越的大山，儿童也更愿意去接近自己的焦虑情境，一步一步地克服它。

教会孩子独立面对

在这个瞬息万变的社会中，我们会对处理焦虑感觉到力不从心。但困难远不止这些，作为家长，我们身上的责任更大，要担负起帮助孩子远离困扰的重任。如果家长在这个过程中感觉到了或多或少的恐惧，那么这本书将教会家长如何更好地鼓励和引导孩子。

可怜天下父母心，家长愿意付出一切去帮孩子解决生活中的万难。无论是膝盖擦伤、糖尿病，还是遭到朋友和学校的拒绝，若可以，家长都愿意为孩子背负这些痛苦。有时候，教孩子直面自己的烦恼和焦虑，这种方法让我们极其不舒服，甚至会觉得很残忍。做家长的想要尽全力保护孩子不受恐惧的侵扰，但是，当我们努力给孩子撑起保护伞时，我们却偏离了正确的轨道，错失了克服困难的最有效方法。如果儿童不能学着独自处理困境，那当困难真的来临时，他们就只会等待别人来拯救。没有哪个家长希望孩子坐以待毙。因此，家长首先要做的就是勇敢面对，不要被孩子的痛苦所吓倒，要知道他们遇到的困难是"令人不悦的"，但不是"无法承受的"。举例来说，如果你的孩子在喝汤的时候不小心烫到了嘴，你不能再也不让孩子喝汤，而是要教他喝汤之前吹一吹，让汤不那么热 —— 最终，孩子就能自己处理这个问题了。

有很多孩子在了解恐惧后，获得极大的进步，他们会说："如果我害怕迈出第一步，那么我永远也不会习惯、不能适应它。"这个领悟会让他们觉得事情并没有想象中那么困难，只要肯尝试，世上无难事。尝试之后，就能体会到当事者和旁观者的差别了。

教会儿童应对恐惧和焦虑是刻不容缓的，这些技巧与数学知识、阅读技能和骑车技术一样，都需要掌握。就好比交给孩子一部关于情绪的操控手册，手册上注明了消除恐惧的步骤，儿童要做的就是困难降临时，根据自己的实际情况，选取合适的方法，得心应手地解决问题。儿童在生活中可能学会如何换轮胎、如何拨打紧急电话，这些技巧并不是等到危机爆发的时候才学习的。这也正是此书的前提，家长通过悉心的教导，将克服恐惧和焦虑的方法渗透给孩子，这才是给予孩子的最好的礼物。

对于各种心理障碍，最佳的干预时间都是在生命的早期。如果儿童在小时候就学会应对焦虑的技巧，那么在日后的成长中，他就可以自如地应对各种情况，以不变应万变。尽管对于分离、黑暗、深夜入睡等的焦虑是看似"正常的"，但如果你的孩子对以上状况表现得痛苦异常，即使使用了应对措施，仍不见效，那么请及时寻求专业帮助。千万不要等到孩子走投无路、丧失能力的时候再寻求帮助。如果你的直觉告诉你"哪里不对劲"，就跟着感觉走，听从这个声音的指引。如果你无视问题的存在或者对孩子漠不关心，孩子又找不到人沟通，那么问题就会越发严重了。恐惧和焦虑可能是有共性的，但是最近有种趋势显示：不可预期的焦虑源出现的频率越来越高了。现在我们的问题并不是："儿童焦虑吗？"而是："儿童该如何更好地应对焦虑？"这种情况下，所有的父母都想知道儿童该如何以钢铁般的意志战胜新的恐惧和焦虑。

这本书被分为三个部分。在第一部分中，我们探讨焦虑的成因、诊断标准以及治疗方法。我们深入研究了焦虑产生的机制，并且为家长提供范本，告诉家长如何与儿童交流相应的问题。第一部分以"方法总结"收尾，概括了大多数焦虑情境中可以应用的 6 个步骤。

本书的第二部分主要探讨了焦虑的具体问题，包括焦虑症、恐惧症、社交焦虑、分离焦虑、强迫症、抽动障碍等。在此部分的各章节中，我们应用第一部分中介绍的方法帮助孩子处理问题。

在第三部分中，我们简要地探讨了具体问题如何影响焦虑的水平，例如与日常恐惧的斗争，也探讨了与焦虑儿童相关的热点问题，包括求学问题、兄妹关系问题和睡眠问题等。

不论你是初涉儿童焦虑这一领域，还是在此方面已深有感触，我衷心地希望通过其他家庭如何面对这些境况的例子，你可以从中得到鼓舞，意识到焦虑管理并不只是一种技巧，而是你对孩子极有意义的赠予。

你将在书中读到很多儿童和家庭的故事，他们非常了解焦虑的生活是什么样子，因为他们一路走来，就是这样生活的。这些善良慷慨的家庭同意跟大家分享他们的故事，让他们的斗争和胜利经验对大家有所启发。这样或许可以找到一条更简单的路，至少你不会感觉孤单，因为你并不是在孤军奋战。书中的这些家庭，他们刚开始也是对焦虑懵懵懂懂，或是从他们自身的童年经历中了解到焦虑的阴暗面，但是他们最终都战胜了焦虑并脱离了困境。因为他们掌握了焦虑的运作机制，并将这些解释给孩子听。家长要学着不被儿童的恐惧吓倒，并且学会杰弗里·施瓦茨博士和莎伦·贝格利博士所说的"用思维来改变大脑"。

在此，我要再次重申我们的目标：不要告诉儿童远离恐惧，而是要教给他们自我沟通，最后战胜恐惧。家长也不要试图帮儿童清除人生中的障碍，而是要教会他们迎难而上，接受挑战。

FREEING
YOUR CHILD
from
ANXIETY

⁓

第一部分

焦虑的背后
焦虑的形成与应对机制

⁓

POWERFUL,
PRACTICAL SOLUTIONS
TO OVERCOME
YOUR CHILD'S FEARS, WORRIES, AND PHOBIAS

当家长知道前路该何去何从的时候，他们就是非常出色的领路人。但是家长也有不知所措、感到迷茫的时候，他们会被孩子的焦虑、痛苦难倒。到底是该想办法让孩子感觉轻松，还是指导孩子变得更加坚强呢？面对这样两种选择，家长往往陷入两难。第一部分的几个章节将会帮助家长解除困惑，介绍怎么做才能够一举两得。通过学习焦虑症的基本原理、定义以及治疗方法，家长将会成功地担负起帮助孩子克服恐惧和焦虑的任务，没有什么事情会比这个更有意义、更有成就感了。

在第1章中，我们将探讨与儿童焦虑相关的因素以及它的潜在成因。只有当家长开始了解焦虑症的"无过错"本质，孩子才会觉得自己的感觉是被接受和理解的，而不是被当作问题来讨论和评价的。理解孩子的焦虑意味着包容你的孩子，并且认同他。包容你的孩子并不意味着拒绝改变，相反，它意味着你掌握了开启变革之门的钥匙。当你的孩子对你的一系列帮助行为并不排斥的时候，他就可以将注意力集中到自己的行为上，并且注意到行为的点滴变化。本书第2章将会介绍不同类型的焦虑症，并且对其进行描述，这样家长就可以通过描述找到符合自己孩子的焦虑症类型，这是对症下药的前提。第3章告诉家长何时寻求专业治疗，以及儿童焦虑的治疗方法。第4章讲述认知行为疗法，并辅之以案例和插图，试图用简单的方式为家长解释相关概念，帮助家长正确地应用这些知识。第5章将会提出一个管理计划，这个计划涵盖了前一章节提及的各种概念。通过整合归纳，这个计划可以应用到大多数恐惧和焦虑的情境中。家长往往绞尽脑汁想要找到恰当的方式来跟孩子沟通焦虑问题，为了解决这一难题，第5章中提供了多种恰当的表达方式，有针对幼儿的，也有针对年龄稍大的儿童的。

FREEING
YOUR CHILD
from
ANXIETY

理解孩子的焦虑
儿童焦虑与恐惧的成因

孩子说：

"当我还很小的时候，我妈妈在医院工作，需要倒夜班。每天晚上我都坐卧不安，担心她会出事，害怕再也见不到她了。"

"每当人们告诉我要放轻松，事情并没有我想象的那么糟时，反倒让我感觉更糟。他们一定认为我有毛病，认为我喜欢这样的生活方式。"

家长说：

"看到我的女儿感觉很痛苦、很害怕，我也很难受。在我们接受治疗之前，我觉得面对她的痛苦我什么都做不了。我觉得特别无助，作为家长却什么都做不了，那种感觉简直糟糕透顶。"

"老师一定认为我疯了，怎么会觉得自己的孩子有问题，她在学校的表现无可挑剔。她是一个模范学生，从不惹麻烦。但是在家里，她彻底地崩溃了，并且极度焦虑。我们几乎不能正常生活。我真的希望老师能看看她在家的样子，这样他们就会理解我说的是什么意思了。"

危险！焦虑儿童的思维方式

"别往大街上跑！""不要爬那么高！""小心，这个会碎的！"这些话是大多数家长一次又一次不厌其烦地跟孩子说的。但是对于焦虑孩子的家长，他们没有这方面的困扰，不用为这些事情担心。事实上，这些家长可能会发现，反倒是孩子在为家长操心，孩子会问："你锁门了吗？油箱加满了吗？拿到滑翔许可了吗？"这些话常常令家长感到烦恼，孩子也意识到了自己对任何事情都不放心，担心的太多，而且无时无刻不在为可能发生的危险忙活。家长至少要了解，焦虑的儿童只是简单地在执行大脑的指令，仅此而已。焦虑的儿童极其谨慎，不停地确认危险发生的可能性。事实是这样的：他们的大脑中有敏感的触角，让他们觉察到并不存在的危险。这种思维方式是与生俱来的，他们习惯于小题大做，甚至是无中生有，在这个过程中，儿童承受着巨大的精神折磨。正常的儿童并没有这方面的困扰，甚至觉察不到痛苦的存在。焦虑的儿童可能会意识到自己的不同，但是不知道为什么会这样，只好默认这就是他们应有的方式。

家长很难用焦虑儿童的思维去看待问题，因此难免会对孩子失去耐心、误解孩子，甚至会对孩子保护过度，但这些都不是正确的对待方式。如果家长能设身处地地了解和体会孩子的所见所感，那么就能更好地理解他们。如果连孩子都理解不了，也别指望孩子会听你的说教，那这一切也都没有了意义。结果就是孩子不会听家长的话，因为家长连他们的问题都不清楚。

儿童焦虑和痛苦的根源是恐惧，这种恐惧甚至让家长陷入窘境。当儿童在生日派对中躲在角落里不见人、当儿童在学校因玩游戏而哭泣或者因为害怕而不能参加学校的露营活动时，家长往往都很苦恼。在这种情况下，家长首先想到的并不是行动起来去帮助，而是迫切地想要找到"停止"键，让这些恐惧到此为止。而且，以下两种想法也坚定了家长的选择：其一："这不可能发生在我的孩子身上，他不该被这个吓倒。"其二："我不知道如何处理这样的事情。"在这两种想法的刺激下，恐惧从孩子那里悄悄地扩散到了家长身上，导致家长无法给予有益的回应。家长和孩子双方同时经受巨大的打击，并且常常会以"你应该"、"我不能"这样的方式说话。

本章将会介绍恐惧的概念，恐惧为人类生存提供功能性的安全保障。恐惧和焦虑，可以帮助儿童在陌生环境中随时保持警惕。确保儿童在不会游泳的情况下，不会贸然地跃入泳池。在情况需要的时候，适度的"如果……怎么办？"的假设能让人保持良好的谨慎度，从而保证人身安全。另外，这一章节将会探讨普通恐惧与焦虑的差异，并且讨论焦虑将如何影响儿童的经历。最后，书中提出了恐惧和焦虑发展的不同模型，探索它们的影响因素，例如遗传基因、气质类型以及个人经历等。我们最终的目标就是让儿童可以自如地表达他的恐惧。家长越透彻地了解恐惧，了解它并不可怕的事实，那么他们就越能有效地帮助孩子脱离苦海。

恐惧！焦虑和痛苦的根源

恐惧对于我们的生存至关重要、不可或缺。因为我们每个人都必然要成长和发展，如果我们缺乏基本的生存能力、对环境的评估能力以及避免危险的能力，那么我们作为物种将很难存活下去。恐惧实际上是一种保护机制，是人类发展的一部分。

伴随着儿童的成长，他们的世界逐渐变得开阔了，并且他们要经常面对从未经历的、突如其来的新挑战，这些新状况总是给孩子带来新的焦虑。婴儿害怕失去大人的疼爱，他们受不了嘈杂的声音；蹒跚学步的孩子，害怕与家长分开，害怕比自己大的东西；幼儿常常被他们丰富的想象力打败，特别是在夜晚，他们会害怕怪物作怪、窃贼或者坏人的出现；青少年害怕社会审视的眼光，他们开始将自己置入国际化大都市，开始审视整个社会，关心战争、安全等抽象议题，渴望未来的成功。恐惧可以被看作是情绪反应，它是人在面对新环境或者征服新挑战时临时发生的情绪反应。用一个简单的例子来解释：对于陌生的新技术，起初人们自然会感到恐惧，但在了解它的工作原理之后，这种恐惧会消失。恐惧来源于不熟悉，这种恐惧会让人浮想联翩。儿童恐惧和焦虑的加剧是由于他们丰富的

> **焦虑核心词**
>
> **恐惧**
> 恐惧为人类生存提供功能性的安全保障，可以帮助儿童在陌生环境中随时保持警惕，能让人保持良好的谨慎度。

想象力，他们用想象力来构筑大千世界，来解释万事万物。蛛丝马迹可能会引发他们的长篇大论。一个 4 岁的孩子到水族馆玩，当她听说水族馆有鲨鱼的时候，非常害怕，因为她知道鲨鱼非常危险，但她不知道在水族馆的玻璃缸外观察鲨鱼是非常安全的。8 岁的孩子已经知道细菌的危害和疾病的痛苦，他认为参加日常活动就意味着感染细菌，而不知道因此而患病的可能性其实很小。这些都是我们生活中的恐惧，是我们生活的一部分。

FREEING YOUR
CHILD
from ANXIETY **焦虑心理学**
不同年龄段的恐惧

· 婴儿期——【陌生人恐惧】

　　此时期婴儿对区分熟悉人脸（家长的）和不熟悉人脸的能力在增长，7~9 个月的婴儿看到陌生人会感到害怕（当陌生人靠近时，婴儿会哭闹），这种情况在 1 周岁时基本消失。

· 幼儿期——【分离焦虑】

　　此时期幼儿对父母的健康型依恋与日俱增，分离焦虑一般出现在 1 岁左右（幼儿会哭泣、悲伤、对分离感到恐惧），并在接下来的 3 年内有增无减，直到幼儿园结束才基本消除。儿童的世界在拓展，他们可能会对新的、不熟悉的环境感到恐惧，也可能对真实存在的或者臆想出来的危险感到恐惧，例如体型巨大的狗、蜘蛛或者怪物。

· 小学期——【现实危险恐惧】

　　由于获取的信息越来越多，儿童开始对现实生活中的危险感到恐惧，例如火、窃贼、风暴、疾病和药物等。通过他们切身的体验，儿童学会了危险并不都是迫在眉睫、近在咫尺的，也可以是离他们很远的。

· 中学期——【个人比较与社会认同焦虑】

　　对社会地位的重要性的关注，导致了个人比较以及社会认同的焦虑出现。儿童在此时期关注自己在学习和运动方面的表现，并且注重自己在社会团体中的身份认同。

· 高中期——【身份认同焦虑】

　　青少年对社会认同持续关注，但是更加关注寻找与自身具有同一性的团体。在这一阶段，青少年普遍比较关注更广阔的外部世界，关心道德问题以及他们的未来成就。

焦虑是非常强烈的情绪状态，当人们面临不确定状况时，他们无法对事件结果作出预测，在不能确保他们的选择是否正确时，焦虑就产生了。即使是在最惬意的环境中，儿童也能体验到某种程度的焦虑。当儿童不由自主地夸大所面临的困难，并且明显低估了自己处理危机情况的能力时，焦虑状态就演变成了焦虑障碍，也就是焦虑症。焦虑症会让儿童变得脆弱，长期感觉疲劳无力、身体不适，同时降低儿童的学习能力并影响其就学、同伴关系和家庭和睦。

哪些孩子会焦虑

焦虑有很多种表现形式：有些儿童的焦虑、紧张，你一眼就可以看得出来；而有些儿童将他们的焦虑和困惑埋藏得很深，任其默默地滋长；还有些儿童，他们的焦虑表现为气愤，对其自身的局限性表现得非常沮丧。从人口统计学角度来讲，儿童的患病率是 5.7%~17%。焦虑症的患病比例随着年龄的增长有小幅上升趋势；但是大多数的焦虑症研究选取的样本都是 7 岁以上的儿童，因此，目前对于年龄偏小的儿童，焦虑症的患病比例还不是很清楚。从诊断结果来看，女孩比男孩更易患上焦虑症。但在现实生活中，被带去治疗的男孩人数却更多。原因在于焦虑行为的外部表现如哭闹、躲避和过度的痛苦等，这些在男孩身上更难以被人们所接受。大量的焦虑儿童研究有这样一个共识，他们中的大多数人同时患有多种焦虑症，我们称作"合并症"。如果置之不管，随着时间的流逝，他们的焦虑症状会越发严重，并且在很长的一段时间内，这个过程会不断反复、恶化。

患有焦虑症的儿童行为与患有破坏性障碍的儿童一样，具有损伤性，但他们经常能够避开成年人的注意而不被觉察。因为这些儿童的症状并没有明显妨碍学校的学习活动，他们的大多数行为都是内化的，所以没有被送去接受治疗。焦虑症的严重性一直被大众所忽视，大家都认为焦虑的儿童只是需要简单的休息和放松。

对于儿童来讲，焦虑症状的隐蔽性危害非常大。焦虑的儿童几乎没有朋友，有的是因为社交恐惧；还有的是因为他们把时间都用在了担心、焦虑上，无暇顾及其他。他们可能会花费大量的时间为某件事而做准备、晚上努力地想要入睡、准确无误地完成家庭作业以及反复确认他们自身的安全问题等等。他们还可能会为了避免丢丑而不外出参加体育活动，因为恐慌或者分离焦虑，不去朋友家玩或不考虑念大学。在家里，家庭生活也失去了应有的活力和乐趣，因为参加任何日常活动都有可能成为他们焦虑的导火索。

从早到晚，焦虑儿童会不断在脑海中提出各种各样的假设。这种假想能力，会让我们吃惊不已，我们很难想象焦虑的孩子是如何将这么多的假想危险放到一起的。

焦虑的成因！从遗传到家教方式

每个家长都想了解是什么造成了孩子的焦虑。很多家长不停地问这样的问题：是不是我们把焦虑带给了孩子？是通过我们自己的行为，还是通过基因遗传？第二个问题比较容易回答，焦虑症与基因确实有着很紧密的联系。但是就我们目前所知，基因的代际遗传是在出生之前完成的，在这个问题上我们没有选择。但是遗传密码将坏事又转变成好事。它有助于我们了解焦虑的生理特性，正因为如此，家长和孩子了解了焦虑症的"无过错"本质，并因此找到方法解决问题。我们决不会因为孩子得了哮喘或者糖尿病而责备他们，也不会为此而责备自己，那么对于焦虑症，我们也该采取相同的态度。

正如儿童的其他方面一样，我们将在本章节中了解到焦虑是多种因素影响的结果。没有哪个单独的因素可以解释所有一切。"恶劣的家庭教养方式"并不能导致所有问题，单凭优良的教养方式也不可能解决所有问题。如果你想要改变这一切，那么儿童的困难境遇将激发你的斗志，让你勇于迈出第一步。但是你要知道这只有助于事情的发展，并不能帮你找到问题的起因。实际上，看上去"怪异的教养方式"只是养育一个焦虑儿童的结果，并不是原因。

先天本性还是后天教养？我们对儿童焦虑起因的理解来自于多种因素的交互

作用。这些因素包括：（1）基因及大脑生理机能；（2）气质；（3）家庭教养方式；（4）环境因素，包括创伤性事件。所有这些因素综合起来对焦虑症的形成产生影响。

遗传：人生来就焦虑吗

　　一般来讲，是进化机制选择了焦虑基因，这并不难理解，因为焦虑有助于物种的生存。过多的误报也好过一次致命的失察。尽管如此，焦虑的儿童也不会因为自身的缺陷而感到好受。

　　遗传学研究人员发现了一些支持焦虑遗传的论据。家长是否焦虑对其子女是否患焦虑症有很大影响。研究显示，焦虑家庭中的儿童患焦虑症的比例是非焦虑家庭的 7 倍。还有研究显示，在众多焦虑障碍中，恐慌症的家族传播现象最明显，但遗传学也只能解释 30%~40% 的传播现象。因此，虽然遗传学很有说服力，对焦虑症的成因作出很大贡献，但还是有很多焦虑家庭的孩子并没有患上焦虑症。遗传学只是决定了人们对焦虑的易感性。有些儿童可能生来就比其他人敏感，对痛苦的容忍力比较低，但是还有其他因素影响结果，让衡量的天平倾斜。也有可能存在多种基因共同影响儿童的焦虑障碍，而不是某个特定的基因在起作用。基因会影响不同细胞在人体的警报系统内如何运作，包括敏感性、反应时间和吸收率等。我们可以到这个系统的幕后看一看，目前已经确定人体的某些区域是处理和体验恐惧、威胁和焦虑的中心。

大脑：焦虑的导火索

　　在大脑防御系统的中心，我们称之为"焦虑工厂"，有一个杏仁状的细胞群，叫作杏仁核，它在负责处理情绪体验的边缘系统中发挥作用。杏仁核就好比一个救生员，能够把我们从马路上拽回来，避免跟疾驰的汽车相撞。这个过程发生得很快，但是并不是每次都那么精准，有时候会发生将木棍看成是蛇这类情况。因此，它也可能成为焦虑症的罪魁祸首，让我们在无需恐惧的情况下却感觉无比焦虑。杏仁核就好像一个反应

焦虑核心词

杏仁核

杏仁核，附着在海马的末端，呈杏仁状，是边缘系统的一部分，是产生情绪，识别情绪和调节情绪，控制学习和记忆的脑部组织。

器，它能根据情绪的线索，非常迅速地作出判断，调动身体内的每一个系统来对抗感知到的危险，不管这个危险意味着战斗还是逃跑。当这个危险过去后，前额皮质就像是个刹车器，会示意杏仁核放慢运转速度以便身体可以恢复稳定的状态。进化机制选择了焦虑基因帮助机体提高对恐惧的敏感性，以便于对恐惧作出迅速反应，但是停止这种反应却并没那么容易。

有一个焦虑研究的领域非常关注血清素的作用，它是一种神经递质，或者说是脑部化学信使。当危险和非危险信息不能有效传输的时候，可能会导致过度期待及持续焦虑的结果。选择性血清素再摄取抑制剂（SSRIs）就是治疗焦虑症最常用的处方药。我们会在第 3 章节中对此进一步讨论。

｜行为抑制：焦虑形成的行为特性｜

诗人爱默生曾经说过："就好像串起珍珠的铁线，气质也将生活中的闪光片断、美好回忆连接起来。"很多焦虑的儿童从出生开始就表现出对变化和危险的敏感，结果他们采用抑制的方式来处理。这种倾向可以在特定情境下对儿童的需要和体验进行预测。他们极度谨慎的作风并不是任何人的错。哈佛大学的杰罗姆·凯根（Jerome Kagan）博士确定了这种特性，并将之称为行为抑制（Behavioral Inhibition）。甚至在 21 个月大的孩子身上就可以观察到这种特性了。环境中最微小的变化也会引发他们的痛苦反应，一部新手机或者一个杯子都会是诱因，而相同的变化对于其他婴儿来说却是兴奋和快乐的反应。凯根博士发现这些具有行为抑制的儿童在日后患焦虑症的可能性比一般儿童高。

｜应激事件与家教风格：焦虑形成的环境因素｜

应激事件。并不是每个患焦虑症的儿童在童年期都有过创伤经历，事实上大多数儿童都没有过。然而在现今社会，儿童和青少年却普遍体验着创伤性事件。多达 15%~20% 的儿童和青少年在青少年期遭遇过重大创伤事件。虽然很多研究表明：大多数有创伤经历的儿童，均能从过往的经历中恢复过来，但是有过创伤经历的儿童患上各种障碍的概率是其他人的 2 倍，这些障碍包括焦虑障碍、抑郁或行为障碍等。所有儿童在面对紧张或者创伤性情境时，都会经历较明显的敏感期、依附期和倒退期。这不仅是正常的，而且是一种适当的结果。这使得儿童可以在创伤经历后得到他们所需要的关心和爱，从身体上和情感上均得到良好的恢复。在第 15 章中，我们将会讨论应激事件敏感性的影响因素、如何保护儿童免于其害、如何处理应激事件，从而让不良影响降到最低。第 12 章将探讨患有创伤后应激障碍的儿童的治疗方法。

我们希望每个儿童都能够面对这些应激源，例如所爱的人去世、成为暴力事件的受害者、失去最好的朋友、父母离异、生病住院、离婚或长期生活困苦等。这些事件会让一个已经承受重大生活负担的焦虑儿童，从偶然性的焦虑转变为完全型的焦虑障碍，或者是让一个正在恢复中的焦虑儿童出现症状反复的现象。

焦虑儿童的家庭教养方式。最近，我带女儿去看牙医，我毕恭毕敬地坐着，跟牙医保持一定距离，这位医生当时正在抱怨其他家长，说他们是"直升机父母"，像直升机一样徘徊在孩子周围，确认孩子的状况。他们不停地问孩子："受得了吗？疼不疼？"这位牙医在意的是这些"飞行员"是如何妨碍他工作、妨碍设备使用的，但我们真正需要关心的是这种行为在应激情境中的影响。虽然我们知道父母的教养方式不能单独起作用而引起焦虑反应，但研究表明，家庭互动将影响焦虑儿童对某些情况的反应倾向，进而影响儿童的行为。家长试图从潜在的危险中保护孩子，并且时不时地给予他们提醒。然而，正常的儿童对于这种提醒可能会耸耸肩，甚至

焦虑核心词

直升机父母
像直升机一样徘徊在孩子周围，确认孩子的状况。研究表明：家庭互动会诱导或者影响儿童的反应，并且可以增加焦虑儿童某些情况的反应倾向。

满不在乎地想"我老爸又小题大做了"。但是对于焦虑儿童，他们本来就认为周围环境是恐怖和令人害怕的，家长的这些提醒行为反而强化了他们的想法。这样不但没有降低孩子的焦虑，反倒让情况更糟了。

"直升机父母"可能是对儿童焦虑的一种反应而不是原由，是一个关心孩子的家长对于孩子焦虑思维如何回应的最佳尝试。事实上，有大量的文献表明某些家

庭教养因素与儿童的焦虑相关。尽管我们知道某些家庭教养方式会伴随着儿童的焦虑，但我们搞不清楚这些因素到底是焦虑的结果，还是焦虑的成因。有些研究已经发现，患有焦虑症的儿童更多地描述其家庭要求严格、缺乏凝聚力，并且比其他家庭冲突更多。这些研究经常让我感到很踌躇，因为家长可能会感觉到备受责备。我理解，家长的初衷是要了解孩子的痛苦，并且试图改变他们的状态，但是家长的做事方式却得到了事与愿违的结果。

约翰·霍普金斯大学医学院的两位心理学家戈尔达·金斯伯格与玛格丽特·施罗斯伯格（Margaret Schlossberg）在 2002 年发表了一篇论文，文章总结概括了 20 多个研究的结果，这些研究都是关于家庭教养因素与儿童焦虑的关系。我已得到许可将此研究结果的大纲整理出来，并罗列出加强和降低儿童焦虑行为的影响因素。关键是要明白，这些研究仅显示儿童焦虑行为与某些家庭教养行为相关，其目的并不在于说明哪些因素是首要因素。当你阅读下面的列表时，记得要与你孩子最近的表现相比较。仔细检查，看看哪些地方进展顺利，而哪些地方是我们要努力改进的。

与儿童焦虑相关的家庭教养行为

- **父母的过度控制**：侵入型教养方式，家长在对话中施加控制，限制孩子的自主权和独立性。
- **过度保护**：无缘由地过度谨慎和保护行为。
- **焦虑解释的模型**：同意在某种情境中儿童对危险的曲解，强化他们认为世界上常规事物太可怕而不敢接近的想法。
- **容忍或者鼓励回避行为**：建议或者同意孩子回避做困难的事情。
- **拒绝或者批评**：反对式的评断、轻视或者批判孩子的行为。
- **冲突**：（非主要因素）2/5的研究发现，打架、争论和家庭不和睦与孩子的高焦虑水平相关。

积极的家庭教养方式可以减压

- 行为奖励：关注方法而不是结果。奖励接受挑战的行为，即使是部分成功，也要给予承认和肯定。

- 消除过度的焦虑行为：无论是出于关心还是生气，都不要对孩子的焦虑行为作出过度反应。

- 管理自己的焦虑：家长要控制自己的痛苦表现，不要将自身的焦虑平添到孩子的焦虑中。

- 提高家庭沟通和问题解决技巧：针对积极的沟通方式和问题解决的机会采取内部开放政策。

- 权威型/民主型家庭教养方式：权威型/民主型教养方式与焦虑水平呈低相关，父母按照独立的价值判断标准来指导儿童的行为。（反之，专制型教养方式，顺从家长的需要，限制孩子的自主权；放任型教养方式，家长对于孩子的行为从不尝试去控制。）

你的孩子焦虑吗
儿童焦虑的信号

你的孩子是这样吗?

6岁的马修第一次上游泳课。他有很多问题:老师会如何对待学生呢?他会整节课都泡在水中吗?他必须要踩水吗?他不想踩水,因为踩水是为了防止下沉,这会让他想到溺水。他想知道如果他感到冷,老师是否会同意他不待在水里?但是他对于学习游泳又感到非常兴奋,他想学习成为一名游泳健将并且希望可以尝试跳水。他问妈妈是否可以留下来陪他上课。

当课程进行到尾声时,马修非常兴奋,因为几周后他就可以登上跳水台了。他说他的老师很好,踩水应该也很有意思,他们把踩水叫作"狗刨式"!他确实觉得有些冷,想让他的妈妈问问老师如果下次他觉得实在太冷,能否不在水里待着。马修仍然想让妈妈陪着他上课,这样在他有需要的时候,妈妈就可以帮助他。

或者,你的孩子是这样吗?

6岁的杰森对于新状况总是很难适应。他不想上游泳课。自从他妈妈上周提到这事儿,他就不停地哭闹来拒绝学游泳。他说不出来为什么害怕游泳,就是不想去学。上课那天,他躲在卧室的椅子后面,绝穿衣服。当他到了上课的地方时，他不肯下车并且紧紧地抓住妈妈，让她陪伴自己去上课。杰森不能像其他儿童那样上课，当老师让他尝试做些动作的时候，他不停地望着妈妈。这种情况一直持续了两周多，直到杰森的父母决定放弃课程。

马修可能被认为是"慢热型"气质的儿童。他很小心并且需要比其他孩子更多的解释。他的想象力引起了某些焦虑，但是问题不大，只要多给点时间和耐心，他的焦虑并不影响正常活动。但杰森却深陷烦恼。他不仅在事情发生前经受巨大的痛苦和焦虑，并且还带着失败的感觉，相信处理困难事情的最佳方法就是回避。不幸的是，这种回避方法在很多情境中起作用了。杰森的父母即使坚持要他上课学习游泳，也是毫无意义的。然而通过让步，这个情况还是有挽回的余地。杰森可以作为旁听生去上几周课，看看游泳到底是怎么回事；也可以跟老师进行几次一对一的教学。当然大家也可以只是在快餐店愉快地见个面，最终甚至可以尝试着参加"最安全"的 5 分钟课程。杰森和他的父母需要找到摆脱痛苦和逃避的方法。

这一章，我们将会帮助家长对程度不同的焦虑阶段进行梳理。首先，我们回顾会事件焦虑的危险信号，接下来描述各种焦虑障碍的特点。有时焦虑并不是孩子面临的唯一问题。本章结尾简要地概述了可能与焦虑同时存在的其他常见病症。

焦虑出没！危险信号与判断标准

我们在第 1 章中了解到，童年期的恐惧和焦虑都是正常现象，是可以预料的。令家长困惑的是：儿童焦虑症的判断标准到底是什么？哪种状况出现意味着儿童已经脱离控制了。即使儿童的恐惧内容是"正常的"，例如狗、枪声和黑夜，那也并不意味着儿童甚至是其家庭所经历的一切都是正常且可以容忍的。与其思考正常还是不正常，还不如问问自己以下几个问题。

| 危险信号 |

- 与现实状况不相称的过度痛苦：哭泣、身体症状、悲伤、愤怒、沮丧、无助和尴尬。
- 处于应激状态时很容易痛苦、激动或愤怒。
- 反复确认"如果……怎么办"的问题，并且无法安慰，对逻辑争论不作反应。
- 头疼、胃痛、经常因为恶心不能去上学。
- 预期性焦虑，担心几小时、几天甚至几星期后的事。
- 睡眠紊乱，比如很难入睡或时常做噩梦。
- 完美主义：标准很高，眼里没有足够好的东西。
- 过度的责任感：过度地关注别人是否因为自己而心烦，为不必要的事情道歉。
- 表现出过度的逃避倾向：拒绝参加活动、拒绝去上学。
- 儿童自身或家庭功能受到影响：对于上学、去朋友家、宗教活动、家庭聚会、出差和度假等活动感到困难。
- 对于正常情境引起的儿童痛苦需要给予过多的安慰，要花费过多的时间劝说孩子从事常规活动，例如做作业、打扫卫生和吃饭。

| 家长应该怎么办 |

家长可能会意识到自己的孩子正在因为焦虑和恐惧而痛苦，但是却不知道如何帮助他们摆脱苦恼。

- 你能和孩子沟通他们的问题吗？孩子是否会拒绝？
- 你的孩子知道发生了什么事情吗？是否懂得如何应对？
- 通过你的努力，孩子是进步了，还是情况继续恶化了（更痛苦、更加回避、生活圈子更小）？

对于以上几个问题，如果第一组问题你有至少一项答案是肯定的，第二组问题有至少一项答案是否定的，那么现在是时候直接面对问题了（短暂性焦虑与事件性焦虑比较见表 2—1）。

表 2—1   短暂性焦虑与事件性焦虑比较

短暂性焦虑的标志（A 阶段）	事件性焦虑的标志
儿童的恐惧和焦虑是合理的，并且可以预期。	儿童的恐惧和焦虑不合理且不恰当。
儿童对于改变很敏感。	儿童对于改变显得措手不及，甚至出现倒退现象。
尽管儿童会提很多问题，但是他们可以从答案中获取信息，得到安慰。	反复确认，没有任何答案能让儿童满意。对于现在和未来，儿童感到担忧、痛苦。
焦虑症状随着时间逐渐消失，并且较少复发。	焦虑症状随着时间增加，并且儿童时刻都在焦虑。
只在某些情境中表现出焦虑症状。	令儿童焦虑的情境在增加。
儿童知道为什么他们要面对这些情境。	儿童更多地关注如何回避焦虑情境，而不是去学习面对情境。
焦虑症状催化出积极的变化。	焦虑症状影响成长。
焦虑内容与发育阶段同步。	焦虑内容与发育阶段不同步。

五种焦虑！从分离焦虑到恐惧症

下面就是对各种类型焦虑症诊断标准的概括。每种诊断都将会以简明的方式呈现。在本书第二部分，每一章节对应一种诊断。

│广泛性焦虑症│

广泛性焦虑症（Generalized Anxiety Disorder，简称 GAD）是指过度的、无法控制的焦虑。儿童患上广泛性焦虑症就会时刻焦虑。他们对任何应激源的第一反应就是做最坏的打算。患有广泛性焦虑症的儿童花费很多时间来确认自己是否做错事：他们提前做准备，制订计划，确保每件事情万无一失，并害怕任何一个小动作可能招致最糟的结果。他们通常看上去很紧张，感到头痛、胃痛，经常失眠。这些病征至少要持续 6 个月（参见第 6 章）。

│特殊恐惧症│

恐惧症（Phobias）被认为是"狭隘的"焦虑分支。其他焦虑症显示，很多种刺激都会引起焦虑，而患有恐惧症的儿童却只对某种特殊刺激起反应，例如蜜蜂、狗、电梯和注射。这些儿童如果能够避免接触他们的恐惧源，就不会产生焦虑。

但这并不是说患有恐惧症就容易应对。患有狗恐惧症的儿童，只要想到可能有狗出现，他们就不能步行上学、不能和邻居玩或者不能去朋友家。如果知道运动、逛街或者去哪个地方可能会碰到狗，那么他们宁愿哪儿也不去。相同的道理，暴风雨恐惧会导致儿童每天查看天气预报，并且拒绝一切可能碰上暴风雨天气的活动。以上病征至少要持续 6 个月，儿童的正常生活受到影响，恐惧症给他们带来了巨大的痛苦（参见第 7 章）。

| 社交焦虑 |

社交焦虑（Social Anxiety）是指对于社交或者公开场合有一种持久而强烈的恐惧，儿童对于可能被其他人审视的场合感到非常害怕。患有社交焦虑症的儿童无论是在想象中，还是在真实存在的社交场合中，都会立即感觉浑身乏力，并不是因为害羞。他们觉得在那些场合会自取其辱，会被嘲笑，因此他们特别在意自己的行为，担心被说成"傻瓜"、当成笑柄。想象一下没有"幕后"的生活，你就能够理解社交焦虑儿童所经历的在大众前曝光的感觉了。上述病征至少要持续 6 个月，儿童的社交、学业和家庭活动都受到影响。对于儿童而言，这些病征必须要发生在与同伴交往时，而不只是在与成年人的交往中（参见第 8 章）。

| 分离性焦虑症 |

患有分离性焦虑症（Separation Anxiety Disorder，简称 SAD）的儿童对于与父母的分离感到十分焦躁，分离的情况包括上学分离、工作分离、出差分离、睡觉分离甚至是父母就在隔壁。离开父母，无法得知父母的情况时，儿童会焦虑，同时，无法确定离开父母自己会怎样，也让儿童焦虑。患有分离性焦虑症的儿童说，他们有一种不确定的感觉，预感有些不好的事情将要发生，他们需要父母陪伴左右以避免这类事情发生，或者一旦真的发生时自己会得到保护。这些孩子普遍有就学困难，他们会经常给家里打电话、不愿意在朋友家玩或者不参加学校活动。如果他们被家长提早接走，或者因为自己的痛苦，家长取消某些计划，这些情况都会让孩子感到极大的解脱。但是这种解脱只是暂时的，因为下一次分离马上接踵而来。即便是在家里,一个小小的分离也会让儿童喘不过气来。事实上,对于患有分离性焦虑症的儿童最不公平的事情就是,他们要承受失去父母之爱的威胁,这种威胁让他们极度不安。这种病征要至少持续 4 周(参见第 9 章)。

恐慌症

患有恐慌症(Panic Disorder)的儿童遭受周期性恐慌发作,焦虑症状瞬间爆发并在几分钟内达到高峰。在疾病发作时,儿童可能会感觉很不真实,害怕自己会晕倒、死亡或者疯掉。在第一次发作之后,儿童变得极度恐惧,尽可能远离能引起恐慌发作的任何情境和刺激,拒绝去那些不易逃生的地方。儿童在经历了恐惧激增的感觉后,会将此看作是威胁生命的。他们觉得必须要逃离这个情境才能让这种症状消失。恐慌中最棘手的问题是,即使儿童知道在他们身上发生的事情实际上是虚惊一场,他们仍然觉得自身是有问题的且恐惧仍然存在,这实际上延长了发作时间并增加了其严重性。为了达到诊断标准,儿童必须有过恐慌发作,并且两次恐慌发作的时间间隔要小于一个月(参见第 9 章)。

强迫症

患有广泛性焦虑症的儿童对有意义的事情(如学业表现、朋友相处或身体健康等)产生不切实际的恐惧,而有 100 多万患有强迫症(Obsessive-Compulsive Disorder,简称 OCD)的儿童,他们经受无意义的恐惧,甚至是对自己的恐惧。他们被想法、图像所干扰且有很奇怪的冲动,与儿童行为截然相反(一个可爱的孩子画图描绘刺伤家长,一个有宗教信仰的孩子害怕他憎恨上帝,一个天真的孩子认为自己性取向不当)。儿童总是做重复动作或者强迫性行为以减轻焦虑,例如过度频繁地洗、检查、重做、计算或者敲打。为了达到诊断标准,病征必须要引起痛苦并每天多于一个小时,或者是儿童的家庭生活、学校生活以及社交被严重干扰(参见第 10 章)。

|创伤后应激障碍|

患有创伤后应激障碍（Post-Traumatic Stress Disorder，简称 PTSD）的儿童经受过创伤性事件，这些创伤性事件被认为是威胁生命的、会导致死亡的。这种经历引发他们强烈的恐惧、惊吓和无助。他们可能会经受令人惧怕和使人机能丧失的症状，例如病理性闪回（痛苦往事的重现）、噩梦、生理反应、失眠、不能集中注意力、在与创伤性事件相似的情境中或能让他们回忆起不幸事件的情境中会有情绪反应。他们会尽最大努力避免那些能引起创伤记忆的事情，比如与此相关的想法、感觉、谈话以及地点。其他的情绪反应包括超然、着眼未来和兴趣减退。病征要保持一个多月，并且对身体某些重要部位的官能造成巨大影响（参见第 12 章）。

与焦虑有关！从注意力缺陷多动障碍到感觉统合失调

接下来的诊断与焦虑症有相同的病征，但是却有不同的侧重点。儿童可以有多个诊断，我们称这种情况为“合并症”。儿童的焦虑表现有可能由其他原因导致，有可能是其他的非心理问题因素。例如，当一个儿童学习数学感到困难重重时，他就会千方百计地逃避数学考试，或者在数学课的时候跑去校医的办公室，这时儿童的首要问题可能就是数学；需要焦虑的是儿童会如何沟通自己的问题。焦虑管理技巧可以消除焦虑，但并不能解决潜在的数学问题或者学习能力问题。如果你的孩子表现出了其他障碍的病征，你可能需要寻求职业的干预方法来帮助解决问题。

|图雷特综合征|

图雷特综合征（Tourette Syndrome）是抽动障碍诊断分类的一种，它是相对罕见的一种神经性异常，伴随有无意识的动作和声音。2 000 名学童中才出现一个图雷特综合征患儿，但是患抽动障碍的比例却是 15%。动作抽动可以仅仅是眨眼、扮鬼脸、扭脖子或者这些动作的综合，比如揉捏、亲吻、扔东西。抽动障碍也可以是发声的。简单的声音抽动表现包括清喉咙、吱吱叫、嘀嗒声。复杂的声音抽动是词语，都是无意识下说出的，例如“天哪”、“是这么回事”，通常这些词都是放在句首的。这其中最让人痛苦的例子，也是最被人所知的症状就是秽语症，狂说粗话，这也是非常罕见的抽动障碍，5%~30% 图雷特综合征患者有此类病症。强迫症症状与抽动障碍症状很难分辨。很多时候，患有抽动障碍的儿童在确诊前被"警告"有类似的强迫性思想；一些强迫症儿童，尤其是年幼的儿童，有敲打东西的强迫性行为，而这些行为并不是由强迫性思想引起的。个别的抽动障碍并不是我们说的图雷特综合征，只有当抽动障碍同时表现为动作和声音时，才被诊断成图雷特综合征。一些儿童患有短暂抽动障碍，抽动只持续几周或者几个月，可能在几年后复发。相比之下，图雷特综合征的诊断是动作和声音抽动持续一年，并且没有 3 个月以上的断续。图雷特综合征通常是药物治疗,或者采用"习惯消除"行为疗法，这种疗法帮助儿童学会与抽动刚好相反的放松技巧和行为。抽动障碍及图雷特综合征的治疗方法将在第 11 章中讲述。

拔毛症

无法控制的拉拽头发，就是我们所知的强迫性拔毛症（Trichotillomania），因为它与强迫症有相同的特点，比如不断重复的想法、冲动和行为，并且不易被打断。如同强迫症，拔毛症开始于一个非常强烈的冲动周期，伴随着高度的紧张，如果不进行这些行为就无法感到轻松。但是与强迫症不同，儿童通过拉拽自己的头发感到了短暂的快乐和解脱。但是紧接着这种简短解脱后，他们就会感觉强烈的羞愧和窘迫。通过这些行为，可以看到这种障碍的影响。拔毛症的治疗方法同图雷特综合征一样，用习惯消除法，在第 11 章中有介绍。

抑郁症

每个儿童都有快乐的日子和糟糕的日子，当一个儿童患抑郁症（Depression）的时候，没有什么事情可以改变他的心情，反而多数日子都承载着挥之不去的沉重，抑或无休止的挣扎和愤怒。抑郁可以描述为悲伤、绝望、易怒、无助感、冷漠和生活缺乏活力。很多患有强迫症或其他焦虑症的儿童可能体验过抑郁，如果他们的症状没有改善且焦虑没有得到适当的治疗，就会变得越来越丧失能力。尽管我们可能将悲伤和哭泣作为抑郁的信号，但是抑郁儿童通常会表现出易怒和无法忍受挫败。其他的危险信号还有食欲（吃得过多或者无食欲）以及睡眠习惯的改变（整天睡觉或者失眠）。儿童可能放弃朋友圈，对运动和学业不感兴趣，每次花几小时看电视、玩电脑，让自己变得不可接近。年纪更小的幼儿，他们的抑郁表现为更加依恋、敏感和倒退。如果这些病征至少持续两周，明显地改变儿童日常行为并且影响其机能，那么就要寻求专业援助了。

注意力缺陷多动障碍

焦虑症和注意力缺陷多动障碍（Attention-Deficit/Hyperactivity Disorder，简称ADHD）的很多症状从表面上看都相同，但是这些症状的成因却截然不同（见表2—2）。注意力缺陷多动障碍关注的是儿童的注意力，并且以情境的需要为中心。患有注意力缺陷多动障碍的儿童，对于新奇的、刺激的、有趣的信息能够迅速加工，他们的思维敏捷且能够投入进去。这就能够解释为什么患注意力缺陷多动障碍的孩子在学校或者晚饭时看起来心烦意乱的，但是却可以在自己喜欢的事情上聚精会神几个小时，因为大脑找到了合适的情境。相反，焦虑儿童的思维忙于思考危机，过度高估了危险的可能性，害怕发生最坏的可能性。焦虑儿童可能会焦躁、坐立不安、注意力不集中，这是因为他们在担心父母是否安好，担心是不是要打雷，是否带齐了所有书本等等。注意力缺陷多动障碍儿童可能会感到焦躁，因为他们的大脑并没有完全的投入，并且开始神游。另外，注意力缺陷多动障碍在童年的晚期并不常见，在很小的幼童身上比较容易发现。而焦虑症贯穿整个童年期，如果一个 8 岁儿童，在学业开始前，在教室中表现出焦躁和心烦意乱的行为，那么他更有可能表现出焦虑症的症状。要着重指出的是，注意力缺陷多动障碍的治疗方法是药物辅助行为干预，使他们的注意力最大化并且将注意力集中在家庭和学校。治疗注意力缺陷多动障碍的药物属于精神振奋药物，会提高焦虑症儿童的神经敏感度。对于同时患有焦虑症和注意力缺陷多动障碍的儿童，需要和医生确认哪种治疗疗程是最好的。

表 2—2　　　　　　　　焦虑症与注意力缺陷多动障碍症状的辨别

症状	焦虑症起因	注意力缺陷多动障碍起因
注意力不集中，容易分心，看上去心不在焉，不按照指令行事。	焦虑、固有习惯动作和恐惧导致心烦意乱；可能害怕听错问题；可能出于紧张，不按照要求，匆忙地完成作业。	噪音导致心烦意乱，可能注意到了老师在说话，但是不按照指示去做；匆匆完成不喜欢的任务，之后去做更有趣的事情。
无法专心做作业。	回避做作业，因为害怕作业太难或者无法毫无差错地完成；如果不能确认事情的对错，就无法容忍这种感觉。	由于无聊，很难安静地坐着。
冲动；随口说出答案，打断别人，无法按照秩序回答。	害怕忘记答案；需要一再确认自己是对的，不能留下任何错误。	在想法和行动之间无法充分加工；意识不到是在打断别人。
过度活跃；烦躁，从座位上起来；说话过多。	来自于预期、紧张、焦虑的不安，不能安静地坐着，想要回家，精神紧张地度日；可能强迫性地带着问题检查；可能经历了创伤性闪回。	生理上需要活动，手上动作很多。

｜双相情感障碍｜

双相情感障碍（Bipolar Disorder）越来越多地在幼儿身上表现。与注意力缺陷多动障碍一样，双相情感障碍也有很多症状与焦虑症相同，例如强烈的分离焦虑以及失眠。有些儿童还有强迫性行为、过度重复的动作。当事情与他们的想象背道而驰时，儿童会感到极大的痛苦。但是双相情感障碍主要的症状表现是拖延、乱发脾气；当别人说"不"的时候，愤怒一触即发；情绪变化快、易怒、抑郁。双相情感障碍可以在幼儿身上诊断出来，它的治疗方法是多种方法的结合，例如使用情绪稳定剂类的药物、个案疗法、家庭疗法等，这些方法可以帮助儿童控制障碍的进程。

｜感觉统合失调｜

有些儿童并不能像其他儿童一样"跟着感觉走"，不能感觉马路上的坑坑洼洼、衣服后面的东西、食物的气味或者是袜子上的裂口。好像每一次感觉输入的刺激都不能顺畅地加工处理。这些孩子很可能得了感觉统合失调（Sensory Integration

Dysfunction），这种障碍是珍·艾尔斯（Jean Ayres）博士在 20 世纪 60 年代首次提出的。尽管成年人可能觉察到儿童"吹毛求疵"、"神经过敏"，他们的经历并不是这种个性形成的影响因素，真正起作用的是中央神经系统的有效性、协调性以及成熟性。在某种意义上，患有感觉统合失调的儿童不得不"手动处理"每个感觉刺激的输入，而对于其他人来说，这些感觉刺激都是自动加工的。另外，感觉刺激输入被错误处理有两种情况：一种是神经末梢过度敏感（轻轻地擦过，就感觉非常疼），另一种是极度不敏感（当儿童和别人相撞时，他们一点感觉都没有，并没有意识到任何疼痛）。

由于对感觉信息处理的无效性，患有感觉统合失调的儿童很容易感觉筋疲力尽，即使是在感觉刺激很少的情况下，他们都会觉得感觉超负荷。这样的儿童可能无法专心于手边的工作，因为他们的大脑资源全部用来处理感觉经验中的琐碎事情。他们可能会觉得自己的裤腰有点紧、内裤有些不舒服、头发扎得不够紧或者食物煮得时间太长了。这些儿童的动作协调性被破坏，你可以看到他们动作笨拙，有些焦躁或者是不能安静地坐着。他们的表现不是由于神经过敏，这些多余的动作是他们的身体试图满足必需的感觉反馈的方法。这种失调可以通过多种方法消除，降低敏感性、对儿童进行训练，通过感觉脱敏等方法，让儿童对感觉刺激作出正常的反应。感觉统合失调需由职业理疗师进行诊治。

|广泛性发育障碍|

近些年来，大家非常关注发育障碍的分类。患有这类障碍的儿童在发育的很多方面受到阻碍，这些方面包括社交场合的交谈、对不同社交环境的辨别、兴趣减弱、自闭症和言语获得障碍。广泛性发育障碍（Pervasive Developmental Disorders，简称 PDD）的机能关联性非常广泛。有些患有发育障碍的儿童语言功能受损非常严重，他们需要一个特定的装置帮助他们表达需求。在我们的身边有很多患有广泛性发育障碍的儿童及成人。他们非常强调规则、办事绝对化、非黑即白、不停地做动作、重复习惯动作或者是兴趣单一（了解关于飞机的一切、一个特别的人或者电视上的卡通形象）。但是另一方面，在有辅助的任务中，他们可以很好地完成常规的任务。患有广泛性发育障碍的儿童可能会表现出过度的社交焦虑，因为他们无法感知社交环境中捉摸不定的因素。如果没有事先准备好脚本并了解接下来将会发生什么，他们将会感觉无比紧张，并且对自己的焦虑束手无策。这时候，如果了解一些焦虑处理的技巧就非常有帮助了。最好的办法就是集中注意力形成"新的规则"，即关于如何处理这个特殊环境的准则。患有广泛性发育障碍的儿童会不停出现重复动作，例如不断地敲打、撞头，不厌其烦地重复打包，但是这些动作在他们自己看来是很合理的。对于强迫症儿童的行为，我们的主观经验表明并非无法接受，也没有必要去害怕他们的强迫行为没有消失。目前为止，用来治疗强迫症儿童的行为策略也同样可以用在广泛性发育障碍患儿身上，只要他们的发育水平是适合的。

在本章中，我们了解到每个儿童都有可能体验过焦虑，只是其带来的痛苦和干扰程度不同，这也是区分短暂性焦虑与事件性焦虑的一个标准。我们已经了解到了焦虑症的不同类型。根据焦虑症类型的不同，所应用的治疗方法也不一样，我们将在本书的第二部分详细介绍。一旦你确定了你的孩子的问题，你就面临着很多治疗方案的选择。关于"谁来治疗"、"如何治疗"、"何时治疗"等问题，在接下来的第 3 章中，我们将会加以探讨。

你该怎么办
应对焦虑的求助选项

我第一次感觉这世界上有人能了解我，知道我是什么样子、我的想法，就像我肚子里的蛔虫一样。这让我感觉如释重负，并且让我确信我是有希望康复的。

我很害怕如果我去求助，那么我的孩子就将被贴标签，但是我又不想阻挡孩子的求助之路。

求助！儿童心理学家的建议

正如我们在第 2 章中读到的，如果你的孩子正在承受痛苦，并且你又没有办法解决这个问题，那么求助的时机就到了。有大概一半的焦虑症成年患者报告说，他们的焦虑症状从童年期就开始了。如果你是他们中的一员，你就能体会到他们求助的迫切之心。他们的父母如果能够早些求助，问题往往更易解决，很多痛苦都有可能避免，因此等待和观望并不是一个好策略。试着回忆一下第 2 章中的内容，很多诊断都是在障碍的症状持续一个月的时候判断出来的。将这个规则记下来，作为第一准则吧。即使你的孩子并未符合诊断的所有标准，这个时候寻求专业的咨询也没有错。早期的干预是对儿童最好的治疗方法，这样可以让儿童的问题减轻，让他们健康成长。

对于儿童焦虑症治疗方法的选择，儿童心理学家最常用的就是认知行为疗法。你将会在本章后面的内容中了解这种疗法，你会看到有经验和资历的治疗师的相关访谈记录。儿童心理学家将会询问家长和儿童问题，从中判定儿童的焦虑类型以及严重程度，尽量排除其他病症的诊断结果并推荐合适的治疗方法。如果诊断涉及用药的问题，那么儿童心理学家将会告知家长去精神科医师那里诊断治疗。

如果你对孩子的情况不是很确定，且不想贸然将孩子带过来诊断，家长也可以先找到儿童心理学家单独咨询。学习如何在家里解决问题并且了解焦虑儿童的危险信号，当看到这些信号时再将孩子带去诊断和治疗，这样你就能够以平和的心态去对待这件事情。你会了解到，儿童在气质发展的过程中，或多或少都会遇到些问题，他们的问题是什么，如何寻求帮助等等。如果儿童正在承受痛苦，而家长在问题还不严重时较早进行干预，那么我们就可以在事情变得一发不可收拾之前进行有效预防。

家长时常会考虑到儿童接受心理治疗的不良影响以及使用药物的副作用。不管对于这种副作用有多么恐惧，我们都必须要作出权衡：在长期焦虑中，儿童和家庭所受的煎熬与这种副作用孰重孰轻。当你担心孩子因为接受治疗而感到羞辱时，那么就将其与以下情况进行比较：孩子逃离教室、在学校哭泣、不能跳舞、不能参加考试，显然这些造成的损失更大。一个有经验的治疗师会尽量让你的孩子感觉舒服、放松，并且让儿童了解自己的问题，而这些问题只要学会一些方法和技巧就可以完全克服。如果治疗师不能担负好这个重要的、鼓舞士气的工作，不能引领儿童找到解决问题的方法，那么家长就要及时跟治疗师沟通了。心理治疗本来就是一项艰巨的任务，儿童的心理治疗师不能使这个工作雪上加霜。

选择！认知行为疗法与药物

如果你让医生或者其他人比较一下药物和心理治疗的效果，大多数都会说两种方法的综合效果最佳。尽管这可能是个常识：治疗方法越多，治愈的机会就越大。但事实上并没有证据能够支持在任何状况下这个结论都成立。一些家长认为焦虑症是心理问题，要治疗必须要用药物。另一些家长认为药物都是有害的，儿童应该拒绝药物治疗。这两种想法都不正确。事实上，以强迫症为例，脑成像研究应用正电子断层扫描技术（PET），测量脑活动状况。研究显示，认知行为疗法和药物治疗同样可以引起脑环路的变化，这种变化导致了强迫症行为的减弱。一般情况下，患有焦虑症的儿童中，接近 50%~70% 的家长选用了药物治疗，而70%~80% 的家长选用了认知行为疗法。有些儿童在接受认知行为疗法之前可能需要药物治疗。对于焦虑儿童不存在"一刀切"的方法。你需要了解孩子的情况，找到最适合孩子的治疗方法以便最后作出选择。完全理想的状态是我们了解最准确的信息，付出最少的身体、心理、情绪代价，达到最理想的效果。对于深受焦虑困扰的儿童，这种理想总有一天会实现的。作为一个明智的求助者，要学会在不同的方法中寻找最适合的。下面我们将开始介绍焦虑的不同治疗方法。

认知行为疗法

认知行为疗法是一种以实践和效果为取向的疗法，以焦虑获得和减低的原则为基础，在近几十年的研究中得到长足发展。认知行为疗法的目标是教会儿童和家长焦虑的工作原理，这样他们就可以像专家一样，应用一系列方法应对焦虑的想法、身体反应以及行为。

美国心理学会对于特殊障碍的治疗方法的有效性有非常严格的标准。基于大量研究发现，根据美国心理学会的标准，认知行为疗法被认为是非常有效的儿童焦虑症治疗方法。大量研究显示，50%~80% 的焦虑儿童在接受认知行为疗法之后，焦虑症状明显减少。重要的是，接下来的追踪研究显示，在三到三年半的时间里，这种效果依然保持。因此，当家长问治疗师"这个方法有效吗"，认知行为治疗师可以非常自信地回答你，目前科学界普遍认可认知行为疗法作为焦虑症的治疗选择。

在第 4 章中，我们将会详细介绍认知行为疗法的方方面面，并且简要介绍其他障碍的情况，认知行为疗法由以下几个部分组成：

- **心理教育**：治疗师会让儿童了解焦虑体验，教给他们克服焦虑的技巧。
- **身体管理技巧**：儿童学习呼吸、肌肉放松等技巧，来对抗不必要的身体应激反应。
- **认知重构**：通过心理治疗师的帮助，儿童可以辨别负面的、自发的焦虑想法，并学会代之以现实的、适应的想法。
- **暴露**：在目标情境中，每次训练一个新的反应。
- **复发预防**：治疗师判断儿童可能复发的表现和潜在的应激源，并且制订计划使儿童能够快速对可能发生的状况作出反应。

第一个记载儿童焦虑症的认知行为疗法有效性的文献，就是基于 20 世纪 80 年代中期天普大学（Temple University）的治疗方案。这个研究是由菲利普·肯德尔（Philip Kendall）博士、邦妮·霍华德（Bonnie Howard）博士、马蒂·凯恩（Marti Kane）和琳恩·斯科兰德（Lynne Siqueland）完成的。当时的最后两位研究者还只是研究生。有趣的、容易实现的治疗方法就是那个时候提出的，现在我们叫作"应对猫"（Coping Cat），应用于 8~13 岁儿童，研究显示这种方法对很多焦虑诊断都很有效。与"经验主义疗法"不同，远在澳大利亚和加拿大的其他情境设置，仍然可以进行独立测试。在最初的研究中，接受认知行为疗法的儿童有很明显的疗效，即 66% 的焦虑儿童再没有达到诊断标准。随后的研究也呈现了类似的结果。我十分有幸，能够在 20 世纪 80 年代后期到天普大学接受培训并且对初期接受试验疗法的儿童进行治疗。作为年轻的治疗师，我们发现儿童可以很轻松地学会焦虑处理方法的各个步骤，包括他们称之为"恐惧步骤"（Fear Steps）的内容。通过这些学习，儿童可以更加自信地应用这些方法，提高解决问题的能力，而不是回避，使自己尽量避免暴露于各种焦虑情境中。

在第 4 章中，我们将会用平实的语言为家长讲述认知行为疗法的新进展，这样家长就可以与治疗师同步，即使在家里也可以应用这些技巧帮助孩子。

如何找到一个合格的认知行为治疗师？ 很多有执照的心理学家接受过认知行为疗法的特别训练。有些社会工作者、精神科医生为了焦虑治疗的有效性和时效性，也转向学习认知行为疗法。你可以问问你的儿科医生或者学校辅导员，让他们给你推荐治疗师。另外，很多组织都有合格心理咨询师的名单列表，并且是按照地区划分的。

当你在寻找治疗师的时候，请不要害怕提问。让治疗师证明他们的资格和能力，通过他们对治疗技巧的描述，了解他们曾经治愈过多少这样的孩子。家长请先不要谈到相关技巧，看看治疗师怎么说。他们应该会特别提到认知行为疗法、系统脱敏疗法、暴露疗法以及强迫症病人的暴露和复发预期疗法。找出家长可以参与其中的疗法。家长以某种形式参与到孩子的治疗当中，对治疗的成功起很大作用。我跟许多家长聊过，他们从网络上、书籍中获取了大量的信息，都是关于自己孩子问题的治疗方法。有时候这些家长甚至发现自己比治疗师懂得还要多。如果事实真的是这样，那么你首先要做的就是倾听，然后找到可以教导你的人。感受一下你对这个临床治疗师的印象。他是热情、周到、耐心并且有信心可以帮到你的吗？如果你能与治疗师融洽地沟通且感觉很舒服，那么你的孩子也会有相同的感觉。如果你对治疗师不满意，你的孩子也不会接受的。

请记住，有很多的特殊方法可以治疗儿童的焦虑并且有助于焦虑情境的应对。如果治疗师谈到帮助你的孩子，让他不再想焦虑的事情，那么这可能是个危险信号，这个治疗师可能没有理解焦虑治疗起作用的原理。尽管分散注意力是一种策略，但不是关键所在。这也最可能是孩子没有被成功治愈的原因，也是你现在寻求职业援助的原因。倾听新的思想，保持乐观主义态度，制订一个计划。

FREEING YOUR
CHILD
from ANXIETY　**焦虑心理学**
拜访治疗师时要问的问题

- 你对儿童焦虑症的治疗方法是什么？（让治疗师先说）
- 你是否使用认知行为疗法？你将在我的孩子身上使用什么策略？
- 这种类型病症的儿童，你治愈了多少，你的成功率是多少？

- 你将如何跟我的孩子解释焦虑和认知行为疗法？你会告诉我的孩子他患了什么病吗？
- 你要如何培养孩子的兴趣，让他配合你的治疗呢？
- 多长时间之后，你会开始正式解决问题？
- 你是如何与家长配合的？
- 在治疗过程中，谁会跟你待在屋子里呢？家长可以参与吗？
- 在治疗过程中，家长是否有机会跟你私下交谈呢？
- 你会在办公室以外的地方进行治疗吗？
- 你会留家庭作业吗？在疗程之外，你会如何帮助我们达到治疗目标呢？
- 在需要给孩子开处方药的时候，有和你一起工作的内科医生吗？
- 你跟学校有联系吗？
- 如果有紧急情况，怎么联系你呢？
- 常规的治疗是多久呢？你会有定期回访吗？

幼儿可以接受认知行为疗法吗？有大量的文献记载，认知行为疗法对 8 岁儿童非常有效。一些早期的研究显示，行为技巧在很小的儿童身上都有效果。尽管家长自己可能都不知道，在日常生活中家长很自然地将强化和脱敏的原理用在年龄非常小的儿童身上。对于认知行为疗法，幼儿享受其中，它的结构、亲身体验的本质以及明确的目标与回报，这些都会让儿童满意，他们对自己的表现非常自豪。幼儿经过家长的指导会获得非常出色的效果（"让我们看看小狗在做什么"、"晚上我们朝窗外看看"），同时家长榜样的方法也收效很好（"那个滑梯太高了，但是我很勇敢，花点时间我会爬上去的"、"我有点怕黑，但是我的眼睛会适应的，一会儿就能看得更清楚了"）。幼儿可能不会表达自己的想法和感受，但是当你找到正确的方法，问题就迎刃而解了，你可以用角色扮演游戏、制作卡通或者木偶戏等方法，让幼儿学会如何控制不悦的想法和感觉。幼儿的丰富创造力、活跃的想象力以及殷切的渴望，能够很轻易地弥补任何认知不成熟的缺陷。

｜药物｜

当与焦虑症儿童一起工作时，认知行为疗法因其最小伤害性和无毒副作用成为一种治疗的选择。但有时儿童的症状比较严重，使他们不能接受认知行为疗法。

幸运的是，现在有很多药物可以供儿童选择。目前治疗强迫症最好的方法就是在最初阶段应用认知行为疗法，如果 4~6 周仍没有明显效果，那么就辅以药物治疗。而有些情况是先采用药物治疗。如果一个孩子正在承受抑郁症的痛苦，几周没有睡好觉并且还有其他难以忍受的症状，那么药物治疗可能需在较早阶段使用。关于焦虑症药物疗法的评价，本书就不予讨论了。如果你的孩子正在用药物治疗或者被推荐加入部分药物疗法，一定要详细咨询以下信息：药物的效力、副作用、剂量以及相关问题。

一旦开始接受药物治疗，家长和孩子都会期待转机的出现，感觉事情会立刻转变，但是，最好将药物作为众多治疗工具中的一部分，而不是紧急补救措施。它可能是一个多层面的解决方案的一部分。作为解决方案的一部分是因为药物起作用是需要时间的，可能几天、几周甚至几个月后才能看到药物的疗效。而且，药物只是对特定的严重症状起作用，并不能消除所有症状，因此儿童最好辅助使用其他的治疗方法，例如使用认知行为疗法控制症状。消除了令人痛苦的症状固然很好，但更重要的是药物治疗为家长敞开了机会之门（例如，脱离了病危模式，进入治疗模式），也让儿童可以自己思考如何应用各种方法面对挑战。我的一个小患儿说："药物只是打开了一扇门，最终结果还要看自己。"就像哮喘、糖尿病一样，药物只是其治疗的一部分，对饮食、锻炼、睡眠等行为的管理，对于保持健康同样重要。

你的孩子可以用药吗？ 有些家长出于对安全的考虑，尽量避免药物治疗，而另一些家长却拼命地使用药物，想要尽快治愈儿童的痛苦。在美国，任何处方药都需要美国食品药物管理局批准才能使用。但是儿童所用的药物，也有未经食品药物管理局批准的。这并不意味着这些药是不安全的，而是说药物测试还没有应用到某些年龄层。有时药物的潜在价值超过了药物可能带来的风险和未知。如果一个孩子好几周没有睡好觉了，已经疲劳到不能对行为疗法作出反应，这时我们的首要任务就是让他睡觉，而药物就是能在短期内有效的方法。一旦补充了睡眠，他就可以更好地学习如何控制焦虑，这样他可以平静下来，在夜里安然入睡。同样，对于一个患有严重的抑郁症和强迫症的儿童，药物可能是必要的第一步。先让儿童减轻抑郁的症状，之后他才有精力去接受治疗。对于某些障碍，例如注意力缺陷多动障碍，药物也是必要的治疗选择。

焦虑该用什么药？ 抗焦虑药物主要有两种，它们有着截然不同的目标，并且在大脑的不同系统中起着不同的作用。最常见的焦虑症药物就是抗抑郁类的，如我们所知的选择性血清素再吸收抑制剂（SSRIs）。这些药包括百忧解（Prozac）、左洛复（Zoloft）、帕罗西汀（Paxil）、西酞普兰（Celexa）以及兰释（Luvox）类的，它们都是慢性药，要等 2~10 周才能看到效果。这些药用来阻断神经递质血清素的再吸收，使神经元之间的化学信使增多，这样大脑信息的传递就更加有效。选择性血清素再吸收抑制剂被看作是抗抑郁药物，用于分离焦虑、广泛性焦虑、恐惧症、强迫症、社交焦虑以及抑郁症，有时也用于图雷特综合征及拔毛症。这些药物要长时间才能见效，副作用较小并且不会上瘾。与其他药物不同，选择性血清素再吸收抑制剂并不是按照体重来决定服用剂量，而是由儿童对药物的反应决定。有些案例中，儿童服用此药的剂量有可能与成人相同。医生会通过你和孩子的反馈来决定正确的用量。

苯二氮平类药物（Benzodiazepines）是焦虑症的第二类处方药。它们是镇定、减缓焦虑的药物。这类药物包括赞安诺（Xanax）、氯硝西泮（Klonopin）和氯羟安定（Ativan）。选择性血清素再吸收抑制剂的目标是血清素受体，并且对一般的神经递质起作用；苯二氮平类药物截然不同，这类药物见效快（通常是 1 小时内），并且对神经系统有镇定作用。这类药降低交感神经系统的兴奋性，这样儿童就没有那么焦躁，焦虑的想法就静止下来了。这类药效只是暂时的，没有持续效果，但是对治疗很有必要。它可以通过阻断焦虑来让儿童机能状态更好，例如儿童可以正常入睡、预期焦虑降低、分离焦虑症患者以及严重的厌学者可以再次去上学了。有些医生在给孩子开这类药物的时候有些犹豫，因为这类药物有依赖性，用药之前请详细咨询医生。

大部分的药物研究都是作用于成年人的，但是最近大量的关于选择性血清素再吸收抑制剂的研究显示，它可以成功地应用于儿童。对于药物的进一步研究是关于有效性和安全性方面的。

谁可以开处方药？ 对于儿童的关注，大部分家长都是从儿科医生办公室开始的。儿科医生有开焦虑处方药的资格并且可能也乐意这么做。因为儿科医师要面对各种各样的病况，他们时常都会推荐家长去咨询小儿精神科医生，他们是接受过特殊训练、给儿童看精神类疾病的专业医生。儿童精神科医生的工作非常专业，对于这些处方药有专业知识和经验。儿童心理学家却没有开处方药的权利。

FREEING YOUR
CHILD
from ANXIETY **焦虑心理学**
如何向医生提出有关药物的问题

- 药物的即刻副作用与长期副作用分别是什么？
- 药物的有效性如何？
- 多久能看到疗效？
- 这个药是治疗什么的？你将如何增加药物的服用剂量？
- 这个药不能与哪些食物一起服用？
- 如果孩子忘了服药，我该怎么办？
- 在服药之前或者服药过程中，是否需要血液测试？
- 孩子需要服用多长时间？
- 我多久来见你一次？

这一章节，我们探讨了焦虑儿童的基本治疗方法的选择。我们很幸运，认知行为疗法和药物疗法都有很好的效果。每个儿童都有不同的需求和反应，你的儿科医生以及儿童心理学家将会指导孩子逐步康复。

04

认识焦虑的大脑
应对焦虑的自助选项

非焦虑大脑	焦虑大脑
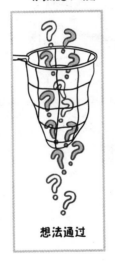	
想法通过	**想法阻塞**

　　儿童都倾向于为相同类型的东西焦虑，但是有些儿童在处理自己的焦虑想法时遇到了阻碍，另一些儿童却可以顺利地解决这些焦虑，他们的方法就是分割焦虑，逐一攻破。我们知道这种差别不是偏好问题，而是涉及大脑的加工过程。焦虑儿童可以学会处理和消除焦虑的方法，但是你要先教会他们大脑的工作机制，让他们了解大脑是如何欺骗他们，如何让他们对安全的东西产生恐惧的感觉。对

于所有人来说，焦虑的想法很明显是曲解的、夸大的和不真实的，这是儿童要了解的基本信息。家长一方面要安慰孩子，但更重要的是让孩子了解焦虑的原因。如果儿童可以客观真实地面对自己的烦恼和担忧，那么最终他们就可以消除焦虑。

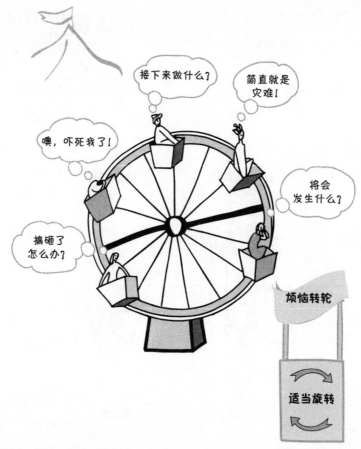

儿童对焦虑缺乏理性的分析，只能从表面上浅显地理解，并试图寻找论据支持自己的想法。在他们了解真相之前，儿童深陷焦虑、非常困惑，根本听不进去道理。儿童的身体开始对压力有所反应，他们心跳加速并且呼吸急促。你的孩子会有无力感并且认为要在这种情况下生存，焦虑是无法避免的。对此家长负有一定的责任，家长可以给孩子解释焦虑的来龙去脉，让他们知道那些焦虑的想法首先是个错误的警报。在家长的帮助下，儿童了解到焦虑并不能解决问题，还有更

加明智的选择，这样才能摆脱焦虑从而自在生活。

对于如何减少焦虑，还有一种基本观点就是认为远离和逃避焦虑并不能解决问题，只有接近和面对焦虑的根源，逐渐消除这种情境的障碍才能最终克服障碍。当被问及如何克服过去的恐惧时，大部分孩子会说"习惯了"。在认知行为治疗术语中，它被解释成渐进式暴露和系统脱敏疗法，这是现阶段焦虑干预的基本方法。我更倾向于使用儿童的术语，并将在此书中采用这种说法——"适应练习"。让焦虑的儿童远离新刺激是不恰当的，这并不能真正保护儿童，正确的做法是鼓励儿童勇于面对。一个小孩子在学校的滑梯上被静电刺激了，从此拒绝再玩滑梯。像这种状况，家长是不易察觉的。如果没有进行及时的干预，这种状况就将演变成一种典型的焦虑情境。家长需要给孩子接近恐惧情境的机会，让孩子能顺利地玩滑梯，并一步一步地克服恐惧。例如借助榜样、观察、实验等方法的力量，我们可以这样说："让我们先看看其他人玩滑梯，他们也遭到静电刺激了吗？我们试试将你最喜欢的毛绒玩具送上滑梯再滑下来看看。"随着时间的推移，这种干预方法的效果就显而易见了。

在这一章中我们将探讨焦虑的三元素，分别是认知、身体症状和行为，这三者交互作用，引发焦虑。我将在本章中提及一些有效的认知行为原理，这些原理都是在以往的研究中得到证明的。其中的插图及例证将有助于你更好地理解这些原理并解释给孩子听。

如果儿童选用了正确的方法，那么完全可以扭转形势，将原来逐渐增加的焦虑慢慢减少，趋于平静。请记住，儿童的第一反应属于本能反应。就好像突然有人撞向你，你会很自然地退缩一样。对于恐惧的解释是瞬间形成的，仅仅是焦虑的一种说法。对于这种情况，想要不焦虑的关键就是学会更理性地反应，这种反应不同于本能反应。在本章中，你将学习如何告诉孩子大脑在工作中跟我们开的小玩笑，并且教给孩子遇到这种状况时该怎么办。当你的孩子学会了这种对抗焦虑的方法时，一种全新的、健康的思维方式就形成了，这种思维方式将在多次重复中得到强化。

焦虑公式： 对恐惧的高估＋对自我应对能力的低估＝焦虑反应

焦虑的想法决定焦虑的行为

认知行为治疗的基本假设是：人对事情的认识和理解将决定他对此的行为反应。因此,焦虑的想法决定了焦虑的行为。我们自身的内部评价或称为"自我交谈",充满着焦虑的想法以及对事件的歪曲评价。当我们觉察到危险时,大脑就会向身体发出指令,调整身体去应对危险。就好像高速运转的发动机,身体随时准备好抗争或者逃跑。最后一个成分,也就是我们的行为,它的作用是使我们安然无恙。最理想的状况是可以求救于别人,但事实往往是情况越危急,我们越感觉恐惧并且想要逃跑。相反,如果我们能够理性分析事态的变化并对危险作出更加精准的判断,那么相同的问题将会得到完全不同的结论、心理感受以及行为结果。

头脑列车

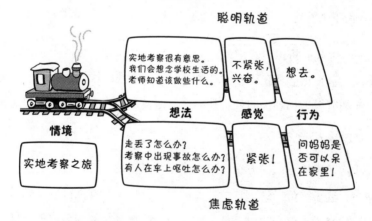

聪明轨道

实地考察很有意思。我们会想念学校生活的。老师知道该做些什么。

不紧张,兴奋。

想去。

想法　　感觉　　行为

情境

实地考察之旅

走丢了怎么办?
考察中出现事故怎么办?
有人在车上呕吐怎么办?

紧张!

问妈妈是否可以呆在家里!

焦虑轨道

训练儿童的大脑！寻找想法岔路口

从这个头脑列车的插图中,我们可以看出:相同的事件基于孩子对事件的不同认识会引发极其不同的结果。从这个双轨模型出发,我们不难看出,在儿童的头脑中存在着两条不同的通道。焦虑的儿童首选焦虑通道,这个通道变成他们的本能反应或者是自动通道,但是经过上述的训练,儿童可以找到岔路口并且锻炼第二反应，这也是对儿童来说更积极健康的方向。

如何跟孩子解释焦虑

因此，家长面临的难题是怎么跟儿童解释焦虑，很显然儿童感觉很痛苦，无法坐下来听你说教。儿童要先看到其他人如何应对焦虑，之后才能学会自己应对。正是因为这种和感觉之间的距离，儿童才能够用头脑思考，而不是在情境中与自己的焦虑抗衡。举个例子，通过下面的脚本你可以想象一下，对于人类最好的朋友，焦虑是如何起作用的。

"让我们通过观察狗如何对情境进行反应的例子来探讨一下大脑训练。设定的情境是有人敲门。每次有人走近这扇门，狗都会汪汪叫。试想一下，这时候狗在想些什么呢？有可能是'噢，坏人来了'，接下来会怎么样呢？它的身体反应越来越紧张，叫着并且跳上跳下。它判断这是危险的，相应地做出防范的行为。假设我们可以跟它沟通，我们会说'嘿，菲多，那人是快递员'，如果菲多听懂了，它就不再跳了。它会想'噢，又是快递员'，然后继续把玩骨头玩具，等待真正警报的来临。这两种反应有什么不同呢？菲多对于一个简单的敲门声作出了两种完全不同的解释。"

现在儿童有了大概的思路，沿着这个思路我们设定另一个情境，离家近些并选择他们不害怕的东西。我们可以用一个简单的方法记住大脑训练的身体顺序，那就是从头（想法）到腹部（感觉）再到脚趾（你的脚选择跑开还是不动）。选择一样东西，要求是你的孩子喜欢但是其他孩子可能害怕的东西。例如你的小孩喜欢小狗，你可以告诉他有些孩子是害怕小狗的，让他试想一下在他觉得小狗很可爱的同时，有些孩子却认为狗是危险吓人的动物。让孩子知道这些不同的想法会引发出不同的感觉和行为。如果你的孩子是滑板运动爱好者，让他试想一下其他人是如何看待滑板运动的，看看这些不同的想法又是如何导致不同的感觉和行为的。任何事都可能涉及头脑列车，例如骑自行车、滑雪、乘火车，还有做数学题。如果感到害怕，你应该如何思考，又会产生怎样的感觉和行为呢？你的想法又有何不同？看看这些不同的想法是如何引发截然不同的结果的。

　　最后问问你的孩子到底是什么变了，是情境改变了还是思考的方式改变了？这就是暗示的力量、思考的力量。你已经学会了认知行为治疗的基本方法。分离不同的思考通道、选择不同的处理方式以及选择如何体验我们的人生，不是简单地通过表面现象认识焦虑，而是通过质疑来消除焦虑（见表4—1）。有了这样的开端，其他的改变就随之而来了。

表 4—1	运行指南
聪明的大脑	**焦虑的大脑**
速度	**速度**
■ 挑战（但我可以做到）	■ 害怕
■ 可以控制的	■ 更害怕
■ 看着我去做	■ 最害怕的程度
功能	**功能**
■ 精确、现实的想法	■ 直接跳到结论
■ 评估情境中的需求	■ 低估自己的能力
■ 提醒自身的技巧与优势	■ 夸大风险程度
■ 储备知识	■ 事先竞争
■ 注意力放在自己能做的事情上	■ 小题大做
	■ 形成消极想法
细则：如果你让焦虑大脑的声势降低，那么我随时随地在起作用	细则：我们可以保证结果并不代表事实

　　当我向7岁的伊莎贝尔解释头脑列车的时候，我问她："哪个想法会让你感觉更好呢，是焦虑想法还是聪明想法？"她回答说："你的意思是我会选择哪个吗？"她接着问："我要现在开始选择吗？"我说："是的，但是你要提醒自己你是有选择的，因为你的焦虑大脑很有可能屏蔽你的这种想法。"我建议她："请一定要记住，你实际上是有两种选择的，就像两只手。为何不让焦虑的想法选择一只手，聪明的想法选择另一只手呢？这样就容易记得了，当你陷入一个困难情境中时，只要记得伸出两只手！"

克服焦虑！发现焦虑的六堂课

一般来讲，焦虑的想法会让你过高地估计或者夸大风险的指数，同时也让你低估自己的处事能力。你被这种想法包围起来，无路可走。接下来的一系列课程是关于焦虑的各种错误想法。这些小故障或者错误的想法并不会自己标识出来，而是伪装自己，所以你无法将它们从众多的想法中区别出来。家长如果熟悉各种错误的焦虑想法，那么当孩子有这些想法时，你就能及时地判定，而不是反问孩子："你为什么想那些事？"取而代之，你会这样问："我了解你为什么会这么想，这些想法是自动形成的，是大脑的故障。现在我们就来纠正这些小错误。你认为将会发生什么呢？为什么这么想？这种情况其他人会怎么想呢？"

第1课："暗示"的力量——成为你的优势

家长要帮助儿童认识到他们想法的强大力量，可以尝试着和孩子一起进行下面的练习：你的脚还痒吗？可能几秒钟之前已经不痒了，但是我现在提起这个事情，你可能又感觉脚底有些痒了。如果我就此打住，不再提这个话题，你可能就忘了这回事；但如果我仍然坚持跟你强调痒的感觉，你可能又会有相同的感觉了！你会感觉非常痒。发生了什么呢？这就是暗示的力量。想法能支配我们的感觉，指导我们如何去做。你想要一个软糖圣代吗？一旦想法形成，你是否立刻感觉到那种巧克力和奶油在口中融化的感觉？无需赘言。当我们想到痒，我们就感觉痒；当我们想到吃的，我们就觉得饿；当我们想到地板发出的"嘎吱"声，不是因为房子破旧而是因为有窃贼的时候，我们就觉得恐惧。把这些例子讲给孩子听。揭开焦虑的神秘面纱，然后让暗示起作用，我们就从中受益了。焦虑的大脑让我们感觉害怕和恐惧，就是因为它在暗示我们危险正在逼近。

当你的孩子说"当我想到有人可能破窗而入时，我觉得很害怕"时，你可以这样回答："是的，任何人都会觉得这是件可怕的事情。焦虑的大脑正在用暗示来欺骗你，你害怕是因为你有这样的想法，而不是因为事情真是这样的。"

｜第 2 课：对抗"全或无"的想法｜

焦虑的基础就是风险，如果我举手，会被人笑话吗；如果我摸了那个门把手，会得病吗；如果我去看电影，会被吓到吗……问题在于焦虑想法带来的风险，是全或无的，没有灰色地带，没有相对风险的比例。家长要教导儿童，让他们知道焦虑的大脑将一个可能的事件变成了必然的事件。家长可以给孩子讲讲他们同样承受着风险，但却依然在做的事情。强调一下他可以这么做的原因是焦虑的大脑在那些情境中正常地工作，将风险看作是一种可能性，就好比你知道别人可能把你的东西弄坏，但是你仍然借给他；知道不一定取胜，但是你仍然会参加比赛；明知可能会死机，但你仍然会玩电脑。焦虑的警告信号就是"如果有任何风险，那就不要去尝试"。要帮助儿童认识这种错误警报，让他们了解有些风险事件是可以应对的。

> 新的"自我交谈"就会形成，大致是这样的："这件事有风险，但是风险不大，我可以应付。可能性并不代表必然发生，不用为这种小事而烦恼。只有在真正的危机出现的时候，才是大脑应该发出信号的时候。"

｜第 3 课：风险的评估—— 讲事实，而非凭感觉｜

虽然你的孩子可能会感觉恐惧，但是如果你问对了问题，就能帮助他搞清楚事情的真相。关键是要认清事实。举例来说，安娜认为她如果去上学，她的妈妈就会遭遇不测，这让她非常害怕。每天早上，她都觉得妈妈可能会遭遇事故、晕倒或者得病。如果说感觉的话，她觉得非常糟糕，简直就是百分百的确定。但是当你问她："如果给你做个测试，看看你所想的是否会真的发生，你认为怎么样呢？"你就会看到其实安娜知道事实是怎样的。这样她就会将基于事实的判断标记为正确的，将她的感觉标记为错误的。

通过询问儿童以下问题，让他们区分感觉和事实。有多少你认为不好的、让你焦虑的事情会发生呢？你在多大程度上相信这些事情真的会发生？家长不需要跟儿童解释事情发生的可能性低。因为通过这样的练习，儿童会将感觉放在一边，自己发现这个结论。随着时间的推移，他们如果学会了用事实来思考问题，自己就掌控了主动权；如果用恐惧的感觉来衡量问题，那么焦虑就主宰一切了。

风险有多大？

你多大程度上认为
不幸的事情真的会发生？

你多大程度上认为
不幸的事情会发生？

让事实主宰，就等于让自己主宰

|第4课：结果与可能性混淆——不想"多可怕"，多想"怎么可能"|

当我们想到悲伤、艰难、不幸的事情时，我们就会感觉心烦意乱。那是因为我们的神经系统和人文情怀在起作用。我们可以想象不幸事件的发生，但这不意味着真的会发生。这是将事实的结果与可能性概念混淆了。

有关风险觉察的研究显示，一般来讲，人们更倾向专注于结果而不是可能性。举个例子来说明，我们可能认为坐飞机意味着遭遇恐怖袭击，尽管这种可能性非常低。我们每天在车上跳上跳下的，却没有意识到遭遇车祸的可能性其实是空难的几百倍。如果不想被这类事情骗过，那就要问下面的问题："某事可能会发生，那么到底它发生的可能性有多大呢？更有可能会发生什么呢？"第一个目标是要更好地估计，更重要的目标是确定想法的侧重点：是想象可怕的事情发生的样子，还是估计一下这种状况最现实的可能性（什么事情都没发生）。因此，当儿童哭着跟你说，他害怕你下班忘了接他放学，而不在乎这件事是否可能发生时，那你就可以告诉他："没错，你的想法确实挺吓人的，任何人被忘在学校都会觉得伤心难过的，但是你的大脑正在跟你耍一个坏把戏，它让你只想到这件事有多可怕，而没有提示你这件事的可能性有多大——家长不可能把孩子忘记的。这就是焦虑的大脑！这就是它运作的方式！"

│第 5 课：想法与可能性的混淆（TLF）——想法≠事实│

当儿童将事前的想法与事件的结果归结为因果关系，或者相信因为他的不好想法导致了不好的结果时，这就是想法-可能性融合。简单地说，就是为莫须有的事情负责任，事情的发生可能跟他们没有任何关系，但是他们会因此而自责。"我想到我妈妈死了，那意味着这事会成真或者我希望它成真。我是个糟糕透顶的人。当我看到救护车，我认为是我家里人出事了。"这也是偶然事件变得可怕的原因。患有分离焦虑症的儿童在学校听到救护车声音，就会认为救护车是冲向他们家抢救妈妈的。

家长一直经历着想法-可能性融合，但是我们并不会有那种因果判断。你看到救护车驶过，你会想如果是我的孩子出事了，那得多让人难过啊。你希望你没有这么想过，因为之后你就会开始担心这种事情发生的可能性会变大。因为自己这样想过，你会责怪你自己，为什么我要有这样的想法？想法本身并不重要，关键是你怎么对待你的想法。我们的大脑可能会将巧合事件与灾难错误地联系在一起，但是我们自己要明智的区分。

其中一个补救方法就是帮助儿童循着逻辑的轨道，寻找想法-可能性融合的标志。可以确定，当我们想到可怕的事情时，比如"如果救护车是开向我家里的该怎么办"，我们自然会感到恐惧，这是我们的第一反应，是很正常的；但是强烈的情绪反应并没有让你去思考这件事情发生的可能性，这只是思考的一种结果。感觉或者影像，即使再生动，也不能让事情发生，它并不能改变真实的生活。训练儿童不要成为想法-可能性融合的牺牲品,告诉他:"感觉害怕并不代表你是危险的。要尽量学会利用你的第二反应 —— 思考事情的可能性,要意识到你现在的担心已经远远低于原来的预期。用积极的、明智的思维去战胜焦虑的大脑,教给它事情是如何运作的。"下面就是一些实例,教你如何让孩子缓解焦虑:

- 这不是万物运转的规律,只是想法-可能性融合。
- 你这样想了,不代表想到即是事实。
- 你可以思考任何事,但这只是个想法,你自己决定如何对待这个想法。
- 想法并没有魔力,它们的力量来源于你。
- 这些想法带来的只有紧张感,跟它们说不!
- 告诉焦虑的大脑:如果光靠想象就可以让它变成现实,那为什么我一直想加入美国职业棒球队,却至今没有实现呢?

|第 6 课:焦虑想法着眼未来——回到当下才是硬道理|

快想想,从现在算起,5 年后你会干什么呢?当我们将思绪带到未来的时候,我们自然会觉得不轻松。未来的事情是无法准确预测的。坦白地说,什么事都是不确定的。生活中到处都是令人惊奇的事情,有好的,也有坏的,唯有变化是我们可以确定的。因此毫无差错地预测未来,是自寻烦恼的行为。如果你听焦虑儿童的谈话,就会发现其中充满了各种"如果……怎么办"。通常情况下,这些假设问题都会被连带在一起,比如从六年级数学考试的问题开始,这问题瞬间就会引到:"如果我上不了大学怎么办?"因此,一个关于数学考试的感觉引起的焦虑,被令人吃惊地转化成关于下半生的生活情况。每次你关于一个情境的"假如"问题,都是试图在预测你的未来;尤其是当我们"假设"会发生不好的事情时,就带来越来越多的焦虑。焦虑将你的感觉及事件的结果拉拽到未来。回到当下吧!回到现实性的思维中,以事实为出发点。请这样鼓励儿童:

- 不要对焦虑感到诧异,只要你坚持做当前的事情就足够了。
- 将"假如……"这样的焦虑问题抛开,代之以"还有什么可能呢?"
- 如果你的朋友给你讲他焦虑的故事,你相信吗?

对付"假如……"这种焦虑思维的有效办法，就是举起停止牌，阻止儿童去思考还没发生的事情。当前我们可以解决问题，但是说到未来，谁也不知道会怎样。如果儿童坚持说那些不好的事情会发生，那么告诉他事情可能发生，但不是现在。焦虑让他们觉得必须马上解决问题，问题是，这些亟待解决的问题根本不存在。家长可以给儿童特权，让他们只考虑当前这段时间。焦虑自己蹦出来，并不代表儿童要配合它。

家长要引导儿童不要无休止地关注自己的焦虑。花费过多的时间担心并不能保护自己，相反却给自己带来更多的烦恼。可以给儿童制订一个焦虑时间表，让他们在特定的时间想这些问题。例如，制订 5 分钟的"烦恼时间"，一天的其他时间，如果焦虑想法来袭，就对它们说时机不对，需要等待。在焦虑时间里，儿童可以从焦虑的故事谈起。他可以谈论自己焦虑的问题，并且将这些写到纸上。接下来估算这些事情发生的可能性，从 0%~100%（或者简单地分成低、中、高三档），然后写下符合逻辑的情况，并将那些更加符合现实的结论写到索引卡上。儿童可以带着这些卡片，当焦虑试图再次吞噬他的时候，拿出卡片，参考一下里面的内容。

控制身体反应！让大脑成功转型的练习课

感谢上帝赋予我们的身体早期警报系统。当危险出现时，无论是触摸滚烫的烤炉，还是冲向马路，它都会发挥作用，但是它也有弊端。将回忆拉回史前时期，当大脑的防御系统建立的时候，每天都有威胁生命的危险出现。我们每时每刻都要调动起身体的每个系统来应对毒蛇、躲在灌木丛中的老虎和暗处的敌人。但是几千年后的现在，我们的身体系统运作依旧，我们的烦恼却是越来越多，例如学校的考试、在门廊跟别人打招呼或走向地下室。问题是我们的身体有点工作过头了。当我们看到自己对风险表现过度的时候，我们自己也被吓到了。虽然我们没办法将原有的情绪系统进行升级，但是还有很多我们可以做的事情。接下来的课程就是教给家长如何让身体系统更有效地工作。

| 第 1 课: 焦虑的错误警报 |

当危险还未靠近的时候，如果身体的警报系统被激活，你就会产生焦虑。直到有人告诉，你身体可能会制造错误的警报，你才会停止思考这些危险。换句话说，当前的情境并没有让你感到害怕，是你的身体反应让你恐惧。当儿童理解了为什么会有这些身体反应的时候，他们就不会再为这些身体信号所烦恼，而是将此理解为解决办法（虽然我们起初没有遇到危险，但身体已经在摩拳擦掌，准备保护我们）。儿童非常迫切地想要了解为什么他们心跳加速、手心出汗。当他们发现陈旧的大脑机能很可笑时，儿童将可以更加合理地看待焦虑，最重要的是下一次他们开始焦虑的时候，新的系统就参与进来了。"那只是我的大脑发出的错误信号，是错误的警报！"学习焦虑的生理机能可以确保儿童体验与感觉程度相符的焦虑，身体症状并无大碍，没有危险；身体知道如何冷却并且重启。那正是"恐惧灭火器"的作用。

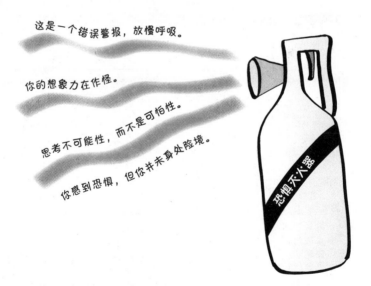

这是一个错误警报，放慢呼吸。

你的想象力在作怪。

思考不可能性，而不是可怕性。

你感到恐惧，但你并未身处险境。

恐惧灭火器

神经系统是由交感神经系统与副交感神经系统组成。前者用来激活"战斗－逃跑"机制，而后者是让身体恢复到正常标准。当交感神经系统全面启动的时候，儿童和成年人都会出现很多莫名的、不舒服的症状，描述如下：

- **心跳加速**。交感神经系统让你的心跳加速。为什么呢？为了能够逃跑或者战斗，需要加快胳膊和腿的血流量，血液从手指和脚趾流走（外周部位是最容易受伤的）。儿童可能会注意到当他们感到恐惧的时候会手脚冰凉、麻木，脸色苍白。

- **头晕**。身体为了做好保护的准备，呼吸加速。你会感觉到呼吸困难，甚至胸闷。你会感到头晕，因为脑部供血量在下降（安全范围内）。

- **出汗**。我们出汗是为了保证身体不会过热，就像是一个制冷系统。另一个原因是当我们出汗的时候，我们的皮肤变得光滑。在史前时期，光滑的皮肤可以防止被敌人擒住。

- **胃痛**。当我们遭到攻击的时候，我们没有时间想到食物，因此这时候消化系统停工。不幸的是，这种结果可能引起恶心、胃痛甚至是便秘。

- **发抖**。胳膊或者腿部肌肉会拉紧，准备战斗；这会导致四肢的疼痛感和战栗。

　　下次如果你的孩子跑到你跟前，说因为心跳加速或胃不舒服而感到害怕，你可以帮助他先做个深呼吸，调整身体系统恢复正常。跟他说现在并不是紧急状况，只是身体对不确定的环境作出的过度反应。

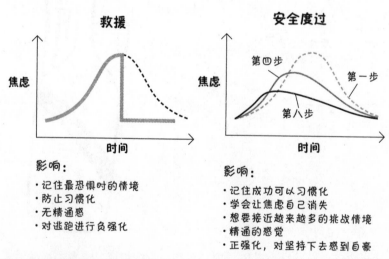

|第2课：焦虑的感觉总会过去的|

　　我们的神经系统对于异常的体验和变化有非常强烈的反应。尽管时间很短，它也会适应。儿童要学习的就是接近这些焦虑的情境，然后适应它。起初儿童势必会感觉不舒服，但是慢慢地就会越来越轻松。让儿童想象游泳池：当你第一次下水的时候，水非常凉，让人难以忍受！后来的情况怎么样呢，你是否慢慢地就适应那个水温了？如果你待在水中，你就知道你已经适应这个水温了，但是如果你从水中出来，你就会再次感觉要被冻死。要把儿童从恐惧的情境中拯救出来，就不要让他认为问题会自行解决，也不要跟他强化逃跑的需要。家长要帮助儿童想想其他情境，那些他们起初有强烈反应而后适应的情境，例如：清晨从暖被窝里出来（最开始的几秒最困难）或者舒服的热水澡（当我们刚进浴室的时候，都会觉得冷）。

儿童的焦虑感在逐渐上升，但是又降下来，就像坐云霄飞车。问问你的孩子是否碰到过焦虑不消退的时候。学会了本书的"习惯疗法"或者适应练习的方法，儿童的神经系统将能学会对焦虑习以为常。

适应练习过程中的一个重要工具就是"恐惧测试计"，通过它来判定儿童的焦虑程度。当儿童在尝试接近困难情境的时候，每隔几分钟测量一下他们的恐惧程度，这样有助于儿童清楚地看到他们对于此情景恐惧的降低。

恐惧测试计

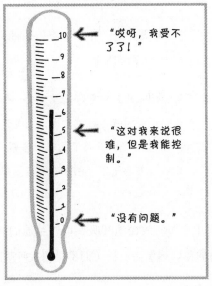

｜第 3 课：神经系统应对方法：呼吸和放松练习｜

气喘吁吁、叹息和打哈欠都会让身体处于紧张状态，要训练儿童正常呼吸。按照以下脚本进行训练：

> 平躺在地板上，胸部朝上，一呼一吸，浅呼浅吸，并且要缓慢。保持这个姿势，你将进行腹式呼吸，这种呼吸方法有助于我们的身体放松。当你对躺在地板上这种姿势很熟练的时候，你就可以坐起来用同样的方法呼吸。确保在呼气的时候没有憋气，保持呼吸平稳；从鼻子吸入（数 1、2），然后从嘴呼出（再数 1、2）。如果在呼气的时候说"放松"、"平静"，甚至是在你面前悬挂这样的字样，这会有助于你的身体进入放松状态。

鼓励儿童每天进行几次这样的练习，几周之后他就可以在需要的时候自发地进行腹式呼吸了。他可以集中精神想一个令人愉悦的场景，例如潺潺的瀑布、美丽的春天、舒服的床。儿童可以想象这个画面、声音、气味以及这些场景的各个细节。集中精神，全神贯注，尽量放松。如果儿童被某些想法分神，比如绝望或者冲突的想法等，你只要告诉孩子将这些想法先放到一艘帆船上，让它先漂过，等我们的放松练习结束之后，再从帆船上把它们拿回来。

有些儿童很难放松，这个方法对他们还不够有效，他们需要一个更有效的练习来引导。对于这些儿童，请用以下的脚本：

> 让儿童躺在床上，开始呼吸并且想象每次呼吸吹一个气球，然后追寻着气球飞上天的轨迹，看着它穿过树枝，飘过大楼，飞进云里。然后"吹"第二个气球，看着它上升。看着天空中布满了气球，像彩虹一样的不同颜色，一个接一个。想象的物品不一定是气球，也可以是其他东西，只要适合你的孩子就可以了。

你可以教给年幼的儿童如何放松地呼吸，可以给他们演示吹肥皂泡。他们可以通过镜子看到自己的胸和肩膀保持放松（而不是每次呼吸都动来动去的）。

　　有些儿童看起来实在是太紧张了，身体僵硬、颤抖，看起来要崩溃似的。保持他们身体的紧张程度再加上焦虑的感觉，留给他们的只能是对头脑中不祥感觉的最糟糕传达。每天的锻炼会让人感觉心情愉快，放松的身体状态可以让人的焦虑基线水平降低好几度。如果焦虑量度以 10 度为限，那么你的孩子在新的一天开始之际，以 4 度开始一定要比 8 度开始好很多，这样小烦恼就不会让孩子处在危险的境地。以上就是一些放松的方法。同时你也可以买到一些用来放松的产品，有些儿童可能会去参加瑜伽课程，或者看类似课程的录影带。

　　我们有很多身体部位都会感觉紧张，扩胸运动就是其中最快的放松方法。在家、教室甚至是在浴室里，儿童都可以学会伸展运动。首先拉伸他们的胳膊，举过头顶，慢慢地放下，接下来将胳膊向两侧拉伸，轻轻的置于身体后侧（想象一下小鸟在背后伸展翅膀的画面），然后缓慢地放下。就是这样一个简单的两秒伸展运动，可以让儿童做更深的、更平静的呼吸，这有助于他们减缓焦虑的程度。

　　渐进性肌肉放松训练法的原理就是要想肌肉放松，必须先让它紧张起来。之前身体状态越紧张，之后的放松运动获得的效果就越好。渐进性肌肉放松训练法指导儿童首先握紧拳头，然后松开，他们的手就自然放松了。对于年龄小的儿童，可以让他们想象自己是自己最喜爱的某种动物，正在玩"西蒙说"或者"跟着领袖做"的游戏，让他们模仿你的伸展动作。对于年龄稍大些的儿童，我们会直接采用肌肉组织的训练策略。举例来说，你可以指导你的孩子：从脚趾开始，首先伸脚趾，感觉它的紧张，给它定义一个颜色，是红色的吗？然后保持这种紧张，数到 3，放松，感觉一下你的脚是不是放松了，紧张感没有了。孩子可以感觉一下放松的颜色是什么？是亮蓝色、绿色还是太阳暖暖的黄色？选择一个颜色。

　　以同样的方法按照身体顺序进行放松训练，腿、骨盆、胃、后背、胸、肩膀、手臂、手指、脖子、脸、眼睛，最后是头部，一定要确定儿童看到紧张的颜色消退，就像沙子被风吹走一样，取而代之以放松的颜色。对于年幼的儿童，你可以帮他们描绘成一个仙女施魔法在他们身上的每个部位，帮他们放松，也可以跟他们讲睡眠王国的友善国王，用他的权杖在帮他们放松。没有任何限制，你和孩子可以编造任何故事，让这个训练达到最佳的效果。

靠近恐惧！逃跑 VS 战斗

正如我们前面所看到的头脑列车的插图，一旦焦虑想法形成，那么身体就开始反应，我们就开始找最快的解决方案。尽管我们的行为是想法和感觉的结果，实际上控制行为对我们来讲更容易些。因为行为更自动化，是化学反应生成的过程。在这部分，我们将会探讨行为原理，它在处理焦虑情境时发挥了最重要的作用。

│第 1 课：暴露和练习保护神经系统、免疫系统和大脑│

对于预防感冒和宠物过敏，你的第一反应是什么？你可能会说，让儿童离宠物或者有病的儿童远点。但是科学家研究表明，逐渐的暴露于细菌或者过敏源这样的物质，其实是增强免疫系统"肌肉紧张度"的最好办法。这种接触可以确保在需要的时候免疫系统可以准备就绪。同样的原理被应用到恐惧、焦虑、挫折的应对上。如果你想要保护你的孩子免遭打击，你可以帮助他加强锻炼"焦虑处理肌肉"。这可能会花费很长时间，一点点地接近焦虑情境，但是不必操之过急，在焦虑治愈的决定性因素中，速度从来未列其中。

在伴随着渐进暴露的系统脱敏过程中，通过描绘中接近（想象暴露法）或者是真实中接近（体内暴露法）的方式，儿童逐渐靠近恐惧情境。儿童应用呼吸调整、放松以及现实的思考来打破情境与焦虑之间的联系。使用恐惧测试计，让儿童在此情境中，恐惧度降低至少 2 度（10 度最高），但最理想的是降低 5 度。当对某一情境的暴露变得乏味和太简单时，儿童就已经准备好向列表中的下一项挑战冲刺了。对每一次暴露结束都要特别地小心，一旦你的孩子对于他面临的情景觉得无法忍受和应对时，慢慢来，让他尝试比此情境简单一级别的任务。

如何开始这个过程呢？可以从这样的问题开始："你现在准备好从哪部分开始了吗？"任何阶段都可以被分解为更小的步骤。将儿童的恐惧按照程度排序，找到他们目前可以承受的最大程度的恐惧情境，从这个情境开始慢慢地、稳健地向最终目标推进。这些恐惧情境是按照接受的难易程度排列的，利用之前提到的恐惧测试计，将最易挑战的放在最前面，最难的放在最后。如果你的孩子在当前的情境遇到困难，你可以问："你现在不能坚持完成任务是因为太害怕或者太焦虑吗？"

要挑战这些情境，最开始都是要通过角色扮演的方式练习，让儿童知道如何处理遇到的状况。家长或治疗师给儿童作出示范。习惯疗法的练习最好频繁做。恐惧肌肉就像其他的肌肉一样，要靠适应练习形成。如果儿童不频繁地暴露，那么他很有可能就忘记了曾经战胜过这个情境，取而代之的是又恢复到原有的程度，对此情境产生焦虑。

第2课：各种感觉齐上阵

有一个非常流行的信贷商业银行广告，内容是："当银行在相互竞争时，你就是赢家。"同样，当情绪在竞争的时候，你同样也是赢家。这个过程被称为"交互抑制"。当其他感觉或精神状态（例如放松、娱乐甚至是某些适当的懊恼）在跟焦虑竞争时，这些感觉最后胜出，因为疯狂、放松，甚至有点愚笨的感觉会抑制你的恐惧感。基本上你不可能在同一时间有两种感觉，幸运的是我们的大脑比较喜欢积极的情绪而不是消极的。你的孩子会怎么做呢？鼓励你的孩子在恐惧的时候唱歌，将他的思绪从烦恼中拉出来，或者玩好玩的游戏，用气氛感染他。将情绪的格调从害怕转为更熟悉的玩闹。

但是要注意这个玩闹是用来取代焦虑的，家长不要随便跟孩子闹。有时候儿童还没有准备好开焦虑的玩笑。如果你不想让解决方法演变成问题，那么就正确地引导孩子。当你的孩子可以应用幽默和讽刺的时候，你自然就知道了。

第3课：不要只是转移焦虑，要将他们一起驱散

很多善意的人让孩子简单地将焦虑转移。任何一个孩子都会告诉你这根本不管用，孩子说得对。将注意力从屋里的蝙蝠身上转移开并不能降低焦虑，而让孩

子意识到蝙蝠只是屋里的一个黑影则可以减轻焦虑。你必须帮助儿童辨认他们的焦虑，让他们了解焦虑只是大脑错误发出信息的结果，并不值得他们花费时间去想，让他们怀疑焦虑，最终驱散焦虑。让焦虑感通过需要几分钟时间（儿童要从最初对抗真实危险的状态中恢复过来），最好是忙点其他事情。与焦虑对抗的时候，最好的选择是做点其他积极的事情。坐着读书或者打电脑游戏仍然会让你的孩子受制于焦虑的想法。而其他活动，如遛狗、唱歌或跳舞，都会帮助儿童从焦虑的状态中走出来，参与到大脑更健康的活动中去。

▎第 4 课：复发预防，刻不容缓▎

如果儿童战胜一种恐惧情境，他会庆祝这个胜利，但是一定要提防焦虑再次来袭，尤其是在压力大的时候。这个时候跟以前已经不同，这次孩子知道如何处理。如果你看到焦虑和回避行为再次出现，不要等到问题无法控制再出手，要在问题出现的第一时间采用恐惧应对策略。拿出恐惧层级表重新按照步骤去操作，让对抗恐惧的肌肉再次形成。在问题初露端倪时及时处理，这样问题就不会一发不可收拾。

FREEING YOUR
CHILD
from ANXIETY **焦虑心理学**
关于家长和孩子的练习

- 首先，要求儿童制作自己版本的运行指南。他可以写出他认为焦虑是如何起作用的，甚至画出焦虑机器。这样有助于你和孩子了解焦虑要玩的把戏。
- 其次，让你的孩子画出他的恐惧灭火器：通过这个你可以确定儿童想要对抗焦虑的方法。将此复印几份，贴在冰箱上或者放在抽屉里，这样家长和孩子就都很清楚问题和解决方案的本质了。

在这一章中，我们探讨了焦虑开始时，大脑和身体耍的小把戏，并且学习了比这些把戏更高明的应对方法。在第 5 章中，我们会将这些课程汇总，形成一个管理计划以应对各种恐惧情境。同时我们还会介绍传达这些理念的方法，包括从年幼的儿童到青少年的实用脚本。

05

焦虑管理计划
帮助孩子应对焦虑的方法

> 明白了对史蒂夫所做的一切都是徒劳后，我反而对他的困窘不以为意，回到了一个家长的安逸状态上来。
>
> 每当我对女儿说忘掉这些烦恼，快点去睡觉的时候，都感觉很有罪恶感。我知道这话一点作用都没有，但是当我是个孩子的时候，我的父母就是这样对我说的。我讨厌看到女儿如此紧张，想让她停止，但又不知该做些什么。当我学到焦虑原来可以表述和分析的时候，我就像抓住了救命绳索。如果我10岁的时候就知道这些，我的人生将会大不相同。

在第 4 章中，我们详细介绍了认知行为疗法的方方面面：如何克服焦虑思想、控制身体反应、用逐渐暴露的方法慢慢接近恐惧情境。这一章中，我们会教给家长如何应用我们的计划和脚本，一步一步地帮助孩子克服焦虑。我并不想让家长生硬地说教，告诉孩子他们的恐惧是没有根据的，而是引导孩子自己去发现这个结论。这个计划就是要儿童自己做主，帮助他们认识到，如果不是由焦虑来发号施令，情况又会如何。从短期来看，这个计划可以让儿童形成能力与自信。从长远来看，儿童可以牢固地掌握克服焦虑想法的方法，这样无论何时焦虑侵扰，他们都可以自如应对。

如果你的孩子一直沉溺于焦虑，这样没一点好处，他不仅不会免遭伤害，反而只剩下恐惧了。事实上，杰弗里·施瓦茨博士和莎伦·贝格利博士在《思维与大脑》一书中提到，焦虑的思维让大脑更多的空间和资源流向焦虑。神经元是脑细胞的信使，大脑分配这些神经元到最繁忙的环路当中去。所以如果你忙着焦虑，那么脑环路会得到额外的支持。

如果改变儿童目前的想法，阻断那些连接日常经验与焦虑的无形大网，那么儿童就能学会创建新的环路，这个环路或者说网络是基于现实中的想法建立的。关键是要认识到焦虑的思维和理性的思维是不同的，为了实现这一目的，需要家长帮助孩子立即确认这些想法的来源。就像是开通来电显示一样，帮助孩子提前确定焦虑的来源，这样有助于儿童很好地作出反应。当儿童带着焦虑来到你面前时，不要告诉他远离这种恐惧的氛围，而是要让他学习倾听焦虑的声音，当接收到焦虑信号的时候跟自己说："好吧，焦虑，这次你又要跟我说什么呢？"

这里所说的计划，既有实用性细节，也有脚本，应用于 3 个年龄组，幼儿组（6岁以下）、儿童组（7~11 岁）和青少年组（12~18 岁及以上）。毫无疑问，一旦你完成了步骤二，可以指明来自焦虑大脑的不切实际的、神经过敏的各种想法，那么一切从此改变了。焦虑贬值了，你可以随意地忽视它们了。这就好像我们不会对电话推销太认真，也不会用荧光笔标注垃圾邮件，甚至都不会读它一样。因此，认识到焦虑无用，就已成功了一半。识别焦虑的症状，并且标注它们，这个理念在杰弗里·施瓦茨博士的《大脑之锁》（*Brain Lock*）一书中介绍过。他关于强迫症的开创性研究，正是我创作《让儿童从强迫症中解脱出来》（*Freeing Your Child from Obsessive-Compulsive Disorder*）的基础。这些理念对于解决焦虑儿童面临的很多问题同样有用。

FREEING YOUR
CHILD
from ANXIETY **焦虑心理学**

焦虑的管理计划

- 第一步：理解孩子的感觉。
- 第二步：给焦虑大脑重贴标签。
- 第三步：启用第二反应。
- 第四步：关掉身体的警报。
- 第五步：让孩子自己做主。
- 第六步：鼓励。

第一步：理解孩子的感觉

接近焦虑的儿童是很困难的。他们很困惑，一方面不想按照感觉行事，另一方面又不知道该如何是好。他们对家长想从旁帮忙的行为并不买账。走进焦虑儿童世界的最好方法莫过于感受他们的痛苦。这不亚于我们对自己的需要。首先我们要做好这样的准备，准备好因为焦虑被人训斥和笑话而感到悲伤。

因此，不要试图告诉你的孩子停止焦虑，或者反复强调没有必要去为事情焦虑。第一步要做的是为接下来的沟通做准备，先要让儿童知道他会面临什么问题。通过语言和动作，让儿童了解你是站在他们一边的：一个小小的拥抱和会意的眼神，都能够传达你对他们的理解。你可以代替孩子道出他们的心声，对孩子说："我知道你讨厌焦虑。"孩子将很感激你的理解和坦率，所以如果情况真的很糟，不要怕麻烦，说出你想和孩子说的话。

FREEING YOUR
CHILD
from ANXIETY **焦虑心理学**

表达儿童感觉的语句

- 这让你很难过。
- 你已经很努力了，这对你不公平。
- 在你的思维被烦事占据的时候，你会被情绪扰乱，什么事都做不成。
- 每件事看上去都很难。

帮助儿童看清他的处境。事实上，儿童不想被当作病人来对待。他们只是想要感觉轻松些。理解意味着将儿童正在失去的东西看作是焦虑的结果。帮助儿童找出他最讨厌焦虑的那部分，分析这部分是如何干扰他喜欢做的事情的。最后，儿童就可以专注于他们解决问题之后的收获上了。

第二步：给焦虑大脑重贴标签

如果焦虑的想法出现时自动标识为"不现实的"、"脱离实际的"，那么生活就会轻松得多了，就像垃圾邮件，我们可能会将其挑出来、撕碎、扔掉。因为我们做不到这样，所以只有一个办法可以让我们和焦虑保持足够的距离，不被它迷惑。当家长对焦虑想法的有效性进行评估的时候，儿童就会更轻松地跟着这么做。"这是技术性小故障，是一个错误的警报。焦虑的大脑过早下的结论，这是一个糊弄人的'假设'想法。不要相信它！"这并不意味着用重新评估代替重新确认，这是在帮孩子认识到问题是什么。

重新标识并不能让问题消失，但是经过一段时间，它会帮助儿童赶走问题。你不能阻止电话推销人员的电话，但是你可以控制通话时间。即使焦虑知道如何找到你，对着你的耳朵不停地说，但也不代表你必须要听。挂掉电话！重新标识可以在焦虑的想法与儿童真实想法之间划出明确的界限，让儿童可以分类处理他的"脑邮件"。当儿童被焦虑搞得团团转，而不是对这些想法直接进行回应时，你可以对他们说："是谁在问问题，又是焦虑吗？迈克尔，我知道你在那儿，过来吧，我听到你焦虑的声音了，但是你自己是怎么想的呢？"重新标识的另一个好处就是，它不但没有带来焦虑问题，反而让孩子脱离这种焦虑的尴尬境地。这让儿童知道，你了解他这么做不是有意的。家长和孩子视焦虑为共同的敌人，他们可以合二者之力共同对抗焦虑而不是相互斗争。

FREEING YOUR
CHILD
from ANXIETY **焦虑心理学**

重新标识的技巧

- 给焦虑起个名字，像 "大脑虫"、"恐慌先生"、"留心小姐"（让儿童自己取名字）。这可以帮助儿童使问题具体化，设定焦虑的目标，区分理性的想法和焦虑的想法。
- 画出 "大脑虫" 的样子。
- 做一个木偶、娃娃或者卡通人物，让它扮演 "大脑虫"。
- 赋予焦虑声音，跟它们对话，挖苦它们愚蠢，并跟它们说你不怕。像猫王或者小甜甜布兰妮一样歌唱、像霍默·辛普森（Homer Simpson）[①]那样说话，不需要尊重焦虑。
- 上演一出即兴的焦虑才艺秀：模仿焦虑的声音。哪个版本的声音对孩子来说最容易驱散焦虑呢？
- 让儿童开焦虑大脑的玩笑；健康的玩笑而不是粗俗的，对 "大脑虫" 的运作过程进行嘲弄，并且想出一些对 "大脑虫" 的指控。
- 让儿童尽量用各种比喻来表述他们的问题：帮助他们确定问题的出处，这是机能故障，不是我的错；是焦虑的大脑，不是我；这是垃圾邮件，跟我无关，它甚至不知道我的状况；这是错误的警报，它过早地定论，就像蚊子一样没有用处，只会 "嗡嗡" 叫惹人烦。

　　幼儿的重新标识。家长可以使用木偶、毛绒玩具、图画或者是卡通声音来区分焦虑想法和正常想法。在游戏或者角色扮演的背景下，焦虑就像在身边 "嗡嗡" 叫的小虫，在吓唬一个毛绒玩具，比方说一只小熊。这只熊什么都怕，就因为焦虑虫总在它的耳边不停地说坏话："你不能跟小狗玩，你会害怕的，小狗的叫声非常吓人。"然后你可以转向你的孩子对他说："哇，焦虑虫既邪恶又夸张，我并不相信它说的话。它说任何小狗都是邪恶的。让我们想想是否可以证明它说的不对。想想我们在公园看到的玩飞盘的小狗，它看起来可怕吗？不，我觉得不可怕。它没想伤害任何人；它是一只善良的小狗。让我们教教焦虑虫，狗是什么样子的。我们要用有力的事实来反驳焦虑虫 —— '嘿，焦虑虫，小狗是很多小孩儿最好的

---

① 美国电视动画《辛普森一家》中的一名虚构角色，辛普森一家五口中的父亲。——译者注

朋友。它们在高兴和受惊吓的时候都会叫，但是狗叫并不意味着它要伤害我！'让我们唱一首歌：焦虑虫快离开，我不想要跟你玩！下次当我们看到狗，就会感觉轻松多了，不会那么害怕。"让孩子重复玩这个角色扮演的游戏，自己选择是想要扮演"焦虑虫"，还是战胜"焦虑虫"的勇敢的小朋友。

稍大年龄儿童的重新标识。当你焦虑的时候，你的身体警报系统开始激活，引起关于情境的错误警报，这个情境可能是一点危险都没有的，或者是并不像警报系统报告的那么危险。你想如何称呼大脑的这种把戏呢？你对你的焦虑是怎么看的呢？首先，给它起个名字会很有帮助，例如"大脑虫"、"焦虑眼镜"、"夸张人"、"狡猾家伙"、"讨厌的大脑"等等，名字由你决定，这是反击焦虑的开始。你开始对焦虑反驳得越多，纠正得越多，你的大脑学会得就越多，不再因为没必要的小事儿而烦扰你。

让我们画一张焦虑这家伙的图片，并且通过角色扮演的练习，将这家伙驳倒。

青少年的重新标识。你已经学会了标识你的焦虑想法，并且将它与理性的想法区分。焦虑的想法就是大脑的过度反应。它就像你头脑中的录音带，因为它不是在广播里播放，而是在你的头脑中，因此它需要花费多一点的功夫去识别。焦虑想法只攻击有弱点的人。没有什么可以相信，但是你有一个选择：选择喜剧演员亚当·桑德勒（Adam Sandler）滑稽的声音或者歌声，或是晚间新闻中彼得·詹宁斯（Peter Jennings）的声音。如果你觉得在这种情况下亚当·桑德勒不可信，那就对了，焦虑的想法没有讲事实。你可以调低这个声音，挣脱这个束缚，改变大脑和你的这种沟通方式。久而久之，你就可以将大脑的这种过度反应的机能调整过来，向着更冷静、更客观的方向发展。这样儿童对自己的能力就有了更自信和更客观的估量，知道自己可以处理哪些问题。

第三步：启用第二反应

重新认知。为了改变儿童的思维，你必须从"我想要改变"开始。孩子总是从焦虑或者恐惧的想法开始，因为他被卡住了。一旦你听到孩子说"假如……"的问题，仔细聆听，他们是否言之有理、有事实、有分析。之后让他自己做老师，对他的焦虑想法做对错判断，例如："如果你碰了医生办公室的纸，你会得病吗？如果最后一个起床，会发生什么不好的事情吗？"把感觉和事实区分开来。你知道事实，但是感觉不知道。

找到儿童真正焦虑的问题是非常重要的。要让他自己告诉你，问孩子他们害怕什么。但是一定要小心地猜测，因为你可能会猜错，这样不可避免地会引发新的问题，可能是孩子之前没有想到的问题。看看下面关于儿童恐惧蝙蝠的假设提问："听我说，蝙蝠是安全的，它们通常情况下并不会传染狂犬病。"你的孩子会回答说："什么？蝙蝠！那是致命的吗，蝙蝠也有狂犬病吗？天哪，我原来只是害怕它会抓我的头发。我的天哪，你觉得我可能会得狂犬病吗？"

重新认知意味着在大脑中重新连接更多的真实环路，也意味着儿童撤回自己的焦虑，让焦虑的大脑搞清楚，他们不再忍受也不会再被焦虑所侵扰。儿童需要找到他们"发号施令"的声音，这个有力的声音是用来告诉人们，他们是不会轻易被摆布的。因此，他们需要进入这样一种情绪状态。对于年龄稍大的儿童，他们肯定碰到过这种情况，好斗的弟弟过来跟他吵架，抢他的东西，可以回忆一下此时他用什么样的声音说话。更小的儿童可以让他们想象，自己喜爱的超级英雄在这种情况下会说什么。曾有一个 5 岁的儿童对我的丈夫说："超人从来都不感到烦恼！"

FREEING YOUR CHILD *from* ANXIETY **焦虑心理学**

发号施令话语集锦

- 你管不了我，我有权决定怎么想！
- 安静点，我要粉碎你，焦虑虫！
- 如果这个真的重要，我的父母会让我留心，而不是让我停止焦虑！

- 你这个大脑虫，什么都不懂，还是先回去学习吧！
- 你只是个错误信号，根本不知道要发生什么！
- 我才不要听你的，我要转换频道！
- 我不需要担心这个；我的朋友不担心，所以我也不！
- 垃圾邮件警报：我拒绝接收这种信息。
- 这是焦虑：我的大脑过度反应了，但是我不用过度反应。
- 我的父母绝不会让我身处险境，所以这肯定是安全的。

我们的目标是让儿童对大脑传来信息的第一反应提出质疑，用明智的和现实的第二反应来面对。焦虑会选择最吓人的情节，你要帮助孩子选出最可能的情节。为了获得自信的第二反应，可以让儿童多说多练，将这些现实的想法写下来甚至是录下来。焦虑的想法本来已占据了儿童的思维，儿童通过这种训练可以体验到自信真实的想法的伟大力量。

抵抗力。一旦你的孩子了解了焦虑的作用原理，那么抵御焦虑统治和警告的时刻就到了，要开始基于真实想法的行动。这意味着找到焦虑或者恐惧的起始点，逐渐地接近，进行脱敏。

制订一个恐惧情境的列表，使用恐惧测试计测量每次挑战的程度，然后将每次要攻克的情境按照难易程度排列成阶梯状（参见下图），最简单的放在最低端，最难的放在上面。先设计一些小的暴露练习或者适应练习。

儿童可以从最简单的开始，在可承受的不舒服的范围内，经过频繁的练习，应用不断接近的方法，战胜这个特定的恐惧情境。帮助儿童选择一个挑战情境，这个情境要难易适中，不大不小。如果太难，儿童会挑战失败；太容易，他又不会有成就感。当儿童对于目前的挑战从容面对的时候，就可以进入到下一阶段了。

学习阶梯
我知道怎么回事，现在我要展示！

目标：跟朋友一起上学。

妈妈陪着去上学。

邻居的狗被放出来的时候，
可以在院子里待上10分钟。

站在栅栏前，
拍拍邻居家友善的小狗。

看街道对面或者
邻居家栅栏后面的狗。

起始点：跟妈妈一起看关
于小狗的书。

第 6 章至第 12 章，你将会找到为儿童的特殊恐惧或者焦虑所设计的适应练习。有几个变量会影响暴露难度的程度（例如地点的熟悉度，以及同一地点的不同时段）。年龄大些的儿童可能能表达清楚这些因素，年幼的儿童可能做不到。对照 75 页焦虑均衡器插图中提到的因素，看一看哪些与你的孩子有关。

FREEING YOUR
CHILD
from ANXIETY　**焦虑心理学**

幼儿选择的正确方法

- 使用毛绒玩具、图画或木偶将情境表演出来，包括焦虑的动物和勇敢的动物。帮助你的孩子练习这种角色扮演，最终让他有机会来扮演勇敢的那个角色。

- 阐明恐惧：学会从事实出发。怪物都是编造出来的，你见过多少呢？让我们编出一个属于我们自己的怪物，一个不会说"哇"而是说"娃娃菜"的怪物怎么样？可能这个怪物害怕自己的影子，因为影子实在太大了！怪物想要弹吉他，但是没有人教它。帮助儿童不畏惧恐惧："你是邪恶的，你是不真实的，我是勇敢的。"给孩子一张贴纸或者一个小盘，让他们练习"发号施令"的对话。

- 如果儿童还没有做好直接接触情境的准备，可以让他做些调查，看看其他孩子是如何处理这种情境的。

年龄大些的儿童与青少年选择的正确方法

- 像漫画那样，绘制带有想法对话框的简笔画。你的孩子想象过这个情况吗，不同的两个人在看到相同的情境时，想法是否一样。焦虑的沃尔特会怎么想呢？机智的萨曼莎又是怎么想的呢？

· 让儿童画出（或者制作出）两副眼镜。描述通过焦虑眼镜看到的情境；再戴上机智眼镜看同一情境，又看到什么了呢？看看下面图片的不同，想想你相信哪个呢？

· 利用第4章中头脑列车的插图，谈谈焦虑的想法是如何导致某些感觉和行为的。

· 利用第4章中的饼图来填色，看看儿童认为焦虑会成真的比例是多少，他们感觉焦虑、害怕的比例又是多少？感觉并不代表就是事实存在的，一定会发生的。感觉改变了，事实不会变。

· 帮助儿童用思维来决定问题。提醒他风险很小的时候，并不一定要提前计划。（运动中虽然有受伤的风险，你不是仍然会坚持运动吗？思考做主的时候，焦虑的大脑就停歇了。）

· 焦虑的想法会期待发生什么呢？把它写下来。拿出红色的钢笔，对焦虑进行分级。哪些答案是真的，哪些又是假的呢？重新组织故事，使用更准确和更可能的结局。

- 在每一项旁边都列一个"假如……"问题的清单，再列一个"又会怎样"的清单。这种情况下更可能发生什么？如果他不焦虑，可能会期待发生什么呢？让他写下"假如……"问题，将它们放在帽子里；拿出问题纸条，然后用"又会怎样"的内容来应对问题。
- 让儿童将焦虑想法写在卡片上，将卡片放在帽子里，然后拿出一张卡片，说出两种缓解这个焦虑的方法。接着，家长来做同样的事情。
- 让儿童想象他是个侦探或者法官，他必须要用事实来打赢焦虑这场官司。问问他会如何解释这件案子。他能证明任何焦虑想法吗？这些想法真的不可能吗？
- 让儿童想象他正在面试他的朋友关于焦虑的情境。朋友们会如何处理呢？他们如何度过危机呢？他们认为什么才是事实呢？

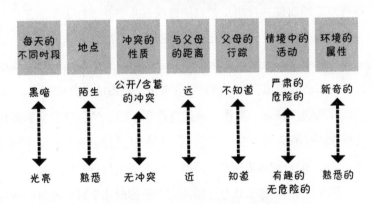

焦虑均衡器
决定焦虑水平和暴露疗法难度的变量

第四步：关掉身体的警报

要让儿童知道，当他们思考焦虑想法的时候，身体自动进入了焦虑就绪状态。这种状态会加速运转，让儿童感觉情境是紧急的，并且阻止儿童做正常的思考。运用第 4 章中提到的气球呼吸练习方法。如果儿童正在经历焦虑的痛苦煎熬，他们可能没法立即将呼吸调整慢下来。在几分钟之内宣布期望和建议，当儿童准备就绪后，就可以将所有事情都减缓。对于幼小的儿童，可以握着他们的手并让他们的呼吸调整成与你的一致。对于稍大的儿童，让他们集中注意力数数，吸入数1、2，呼出数1、2，不要在任何阶段停顿。当儿童的行为变得焦虑或者紊乱时，他们的身体也在加速运转。冷静并坚定地指导儿童，告诉他们要做的是让事物都慢下来。不是逼他们这样做，而是给出他们能达到的期望和建议，帮助他们作出改善情境的选择。

- 帮助儿童，让事物都慢下来。
- 提醒儿童，焦虑都会过去的，但是通过减慢各种反应的方法，可以让焦虑更快地离开。
- 将儿童的恐惧度排列，从 0 到 10，或者简单地标注为低、中、高。这将有助于儿童看到，即使几分钟前他还在焦虑，但实际上通过努力，焦虑已经降低了。

第五步：让孩子自己做主

一旦你将焦虑镇压住并且纠正了它的错误，儿童就做好了驱除焦虑、向前行进的准备。因为焦虑的感觉需花费几分钟才能过去，最好在这段时间里保持忙碌状态。这一步，你不仅仅是简单地让孩子分心，而是给他们展示如何支配他们的大脑，使其听从自己的安排，做自己想做的事情。状态应该是这样的："不要站在那坐以待毙，让焦虑欺侮你，振作起来做自己喜欢的事情。这是你的时代，你自己做主，选择你喜欢的事情去做。"体育活动是最佳选择，例如反复地扔球（扔袜子也能凑合一下）、带着狗出去遛弯、跳舞、唱歌或者玩捉迷藏。如果体育活动没法做（例如，你在车里），那么玩分类游戏。列举你前几个月里看过的所有电影的名字，列出以 P 字母开头的所有水果，这么做会让你的思维处于一种活跃状态，让你度过有趣的时光。注意静坐的活动对此作用并不大，例如阅读，甚至是玩电脑游戏，因为你在从事这些活动的时候，脑袋里仍然想着焦虑的问题。

问问儿童："如果不焦虑，你想做什么呢？让我们去做那些事情，这样你的大脑就会学会跳过焦虑回到平静。"

第六步：鼓励

当儿童战胜一次困难，要表扬他，这样可以强化好的环路！使用切实的强化物或者实物奖励，以此来刺激儿童对抗焦虑的兴趣和意愿。奖赏如贴纸、小吃、与家人共度美好时光，还有最棒的玩具，这些都不算是贿赂，而是奖励他们出色的行为。跟儿童要表达明确，不要说："如果你卧床休息，并且在接下来的 5 个晚上不大吵大叫，我就给你买一个新娃娃。"而要这样说："你待在床上时将需努力克服恐惧，如果害怕，就利用'发号施令'式的谈话方式和晚间日志。如果 5 天后，你顺利地达到了目标，有什么特别想吃的吗？"奖励的另一个好处就是改变了这件事情的格调，让它由一件严肃吓人的事情变成了积极主动的事情：儿童可以通过做事得到早餐薄烤饼，因为倒垃圾或者是借用汽车而得到免费入场券。

FREEING YOUR
CHILD——————
from ANXIETY **焦虑心理学**

奖赏 / 鼓励

- 一般来讲，3 周时间可以形成一个新的行为模式，因此要持续地给予奖励直到新的行为方式形成。

- 强化成功的行为，不要考虑失败的尝试。

- 详细叙述目标行为：具体的时间长度、特定的行为改变。例如，在床上待 10 分钟而不哭闹；到便利店去买一样东西；重绑一次鞋带，而不是 5 次；给 3 个朋友打电话。

- 奖励任何与解决问题有关的行为，不是只盯着中心环节，只要有关联就要奖励。如果儿童可以部分地完成任务，那么可以将奖励改变成折中的方式。

- 不要只看重连续的成功结果（例如，在床上连续待 5 天），而是寻求累计的成果（一共 5 天）。进步通常都是前进两步，后退一步。

- 练习！练习！不可能一次就掌握要领。儿童要重复相同的暴露方法，直到可以熟练掌控，对于挑战情境几乎没有焦虑。

- 当完成任务变得越来越简单的时候，逐渐减少对某行为的奖励，然后在儿童的焦虑列表里选出下一个挑战情境，转换奖励方式。

- 小心反弹：如果你对孩子的焦虑已经安心，他们已经数月或者几年没有困惑，那么当从一个新的角度再次接近这种情境的时候，你可能会看到开始出现反弹现象。如果你可以确定目标对于儿童是合理的，那么保持稳定，这种最初的反弹现象会过去的，儿童也会克服这次危机。

- 请记住，行为改变要先于想法和感觉。儿童说："不行，我做不到，太害怕了。"不要等到焦虑的感觉和想法过去之后，才让儿童改变行为。要知道想法会一直有，鼓励孩子去纠正这些想法，然后改变行为，这是他们可以控制的。

应该做和不应该做的事情

- 让儿童知道害怕是正常的。
- 了解儿童的想法：知道他们对什么感到焦虑，为什么想要克服焦虑。
- 帮助儿童划定他们的舒适区，并且一步一步地扩大这一区域。
- 跟儿童谈到相关情境的时候，要用愉悦、冷静的言语。
- 不要回避恐惧的情境。
- 强化和鼓励任何与恐惧情境有关的互动行为：谈论情境、绘制情境图画、阅读这方面书籍或在情境中进行角色扮演。
- 不要将目标定得过高，儿童会感觉不知所措、有抵抗情绪而不学习。
- 让儿童有掌控的感觉，让他自己决定从哪一步开始。在这个过程中，他参与的越多，会越愿意配合完成任务。
- 不要强迫儿童面对恐惧情境，那样会吓坏他们的；看看可以改变哪些条件，让儿童感觉情境更安全些。请记住，儿童是在安全的环境中成长起来的，而不是在恐惧的环境中。
- 为了得到好的效果，作出努力，挑战焦虑情境。切记这不是竞赛。

在这一章中，我们罗列出了如何缓解焦虑的步骤，家长可以通过这些步骤，教给儿童如何让大脑环路减少焦虑的时间。通过学习，重新标识焦虑，儿童可以用更加逻辑、现实的思维方式去对待恐惧情境。久而久之，这些理性的想法、健康的大脑回路，就会让儿童受益了。经过练习，儿童更善于调整思维方式，形成更合理、更具灵活性的想法。带着这种自豪和释然，家长可以渐渐隐退，看着孩子自己勇敢向前冲。

FREEING YOUR CHILD

from

ANXIETY

❧❦❧

第二部分

直面焦虑
从害怕、担心到严重的焦虑

❧❦❧

POWERFUL,
PRACTICAL SOLUTIONS
TO OVERCOME
YOUR CHILD'S FEARS, WORRIES, AND PHOBIAS

世界上找不到任何两个人在某方面长得一模一样，焦虑也不例外。儿童的焦虑是遗传基因、气质、经历的综合体，对于每个人来说都是独一无二的。我们唯一可以确定的相像之处就是，有可能找到焦虑本身固有的主题和模式，证实头脑故障不是任何人的错这一想法。他们只是大脑系统中的一个故障，可以应用有效的认知行为方法解决问题。

　　在这一部分，我们将会探讨常见的恐惧表现及诊断。就如我们在第2章中看到的，焦虑症的诊断是基于儿童经历的痛苦程度以及受到的干扰，并以这些作为症状的结果。即使儿童没有达到诊断的标准，本章节也会教你在家要怎么做，症状背后到底隐藏着什么隐患。本书不可能提及所有的焦虑情境（相信我，我尝试过），但是至少你可以找到跟你孩子情况最相近的，应用书中列出的方法，帮助孩子渡过难关。如果家长自身了解焦虑的原理，并且能够清楚地表述，那就已经准备好成为孩子的最佳导师了。

　　几乎在每个实例中，你都会在焦虑中找到曲解的影子，耸人听闻的、夸大的故事版本，这些都是让感觉来主宰的结果。家长要做的就是帮助儿童挑出错误，代之以更现实的、科学的故事版本，让儿童机智的一面成为主宰。你可能会受到追寻事实的诱惑，让儿童先解释焦虑的内容。想象一下儿童充满焦虑的画面。如果不先抛开焦虑和烦恼，儿童的脑袋里就没有空间可以容纳其他想法。虽然每个章节将针对一种焦虑的类型，详细叙述这种焦虑的应对方法，但是如果你熟读第5章中列出的管理计划，牢记其中的步骤，你将会做得更加出色。

　　关键是要将学到的那些观点融会到你的日常生活中。认为焦虑终究会消失，这种想法非常危险。我们在生活中需要智慧，同时也要将部分智慧用来识别生活中的风险。起初，家长可能会觉得，对于孩子的焦虑，简单地适应比较容易，如果真的要面对，要解决问题，就会有很多事情要做。但是很快地，家长就会得心应手地应用各种方法。对于焦虑处理得最好的家庭同样也冒着一定风险，如何应用创造性的方式，向儿童展现他们并不害怕焦虑。

　　这一部分的每一章节都会描述一种具体的焦虑，介绍它的诊断的方方面面，以及治疗方法。如果你的孩子有多种诊断类型的症状，有很多孩子都是这样的，你可以浏览各章节，找到你需要的答案。有些诊断，例如创伤后应激障碍、强迫症、图雷特综合征，这些症状有特殊的治疗方法，与管理计划中介绍的方法不同，但是潜在的治疗理念是一样的：首先理解大脑的故障，知道大脑犯了什么错误，为什么犯错误，然后通过训练，学会让大脑不要发送那些没有必要、扰乱人心的信号。

请家长务必牢记，教导儿童如何处理焦虑，越早越好；同样地，多迟也都不算晚。

请家长将学到的方法先尝试着用在自己身上，当你意识到焦虑正在入侵，或者发现自己陷入了"假如……"问题的漩涡时，记得用语言表述，加以分析，激活你的机智大脑应对焦虑。这样，当孩子来到你面前寻求帮助的时候，你就会表现得更加自信和冷静了。

FREEING
YOUR CHILD
from
ANXIETY

06

无法放松的孩子
从日常焦虑到广泛性焦虑症

> 拥有超凡的想象力是一件好事，但是过多的想象……就太可怕了！
>
> ——一名6岁的广泛性焦虑症患者

尼娜对任何事情都感到焦虑。有时我在想，这个世界真的不适合焦虑的儿童。一直以来，人们说的太多话都是言不由衷的，但是尼娜却把所有内容都放在心上。她的老师对全班同学说："你们再不安静下来，就别想回家了。"她就立刻开始担心自己会永远待在学校，这样的事情每天都在发生。我并不认为她真的相信老师说的，但是焦虑转轮一旦启动，她便有了焦虑的想法："如果真的发生了怎么办？"

马克斯很在意其他人，他决不想以任何方式伤害任何人。我知道这听起来可能是很多家长的愿望，希望自己的孩子也是这样的，但是这有点过头了。我认为焦虑正在侵蚀他。我担心他正在内化所有压力，终有一天，他会受不了的。

身不由己的焦虑

很多儿童都有他们焦虑的事情，像尼娜和马克斯那样，他们有自己要承受的痛苦。这种不能控制的焦虑就是广泛性焦虑症，它是一种令人感觉衰弱的痛苦状态，有 2%~19% 的儿童和青少年承受这种痛苦。如果被诊断为广泛性焦虑症，这种焦虑伴随着相应的症状要至少持续出现 6 个月。患有广泛性焦虑症的儿童，他们的大脑系统对于找到恐惧和潜在的恐惧有着过度的热情，在任何情况下都反应过度。这种焦虑症从正常儿童发展到一种堪忧病症虽然在学术上可以划分出 6 个阶段进行解读，但是比这个更值得研究的是，焦虑的不断叠加是一种长期恶性循环，会使最坚强的人背上一个甩不掉的沉重包袱。儿童并不是只想知道"假如……"的问题；他们只是每天被这些问题所困扰。广泛性焦虑的关键标志是焦虑的事情与初始的情境关系越来越小。一个孩子考试得了 94 分，她会担心这个成绩是否影响大学学习和职业生涯；当一个人在烧烤时出现呕吐现象的时候，他很肯定自己会因为窒息去医院，甚至可能会死去。

对焦虑设定一些限制是很必要的。当面临潜在风险的时候，大多数儿童会做一个快速的焦虑估计，并且去除那些可能性较小的焦虑。患有广泛性焦虑症的儿童却会做长远的打算。借助超乎寻常的想象力，他们认为可能性就是意味着没有安全保障，是高风险的，因此焦虑雷达会一直开着。广泛性焦虑症儿童的焦虑是无处不在的，而患有恐惧症的儿童，他们只对特定的情境有过度的恐惧，例如狗、昆虫、雷声。任何过往的情境都无一幸免。生日派对可能不会引出欢笑，而是充满焦虑的预期：蛋糕够吃吗？蜡烛烧着其他人的头发怎么办？我不喜欢收到的礼物怎么办？下雨怎么办？患有广泛性焦虑症的儿童，通常对对自己不利的情况很敏感，他们会察觉到最微弱的信号，如果是不合情理的状况，这种信号会将之曲解成紧急和不可避免的情况。

广泛性焦虑症患儿的家长也感到非常痛苦，尤其是看到自己的孩子在痛苦挣扎却不知所措的时候，甚至是孩子小题大做、评判自己的时候。尽管你可能会感觉被孩子的焦虑所控制，但请记住，孩子也是身不由己。这些孩子每天承受着各种不良感觉的摧残，没什么能让他们轻松，这种感觉跟我们收到医院的坏消息，或者拿到意外的账单时的感觉一样。幸运的是，焦虑可以用接下来的几个主要步骤来抑制。这一章中，家长并非要学习让孩子说出自己恐惧的技巧，而是要学会如何指导孩子，让他们挖掘自己真实的想法，自己解决问题。

并不是每个警钟都是为你而鸣

患有广泛性焦虑症的儿童活在"虚构的焦虑"之中，没完没了地跟与自己无关的事情做斗争。以伊丽莎白为例，她是一个每门课程都拿优的孩子，在学校里表现很好，从来都没有违反过纪律。现在她坐在我面前，满手是汗，正向我解释为什么她整晚睡不着觉，异常焦虑。答案就是她非常害怕校长。光是提到校长就让她的恐惧度急速攀升。在学校她无法停止焦虑，因为她不想去校长办公室。她解释说："校长的脸很吓人，当他生气的时候，他会一直吼，脸憋得通红。"不只是校长，她还害怕她的老师。"她压力很大，疯狂地大喊：如果我们没有在学校完成作业，就要放学后留校。如果我们在课堂上说话，就不能课间休息。如果我们不止一次地制造麻烦，就得去见校长，然后被留校察看。如果我们没有在试卷上写名字，我们就拿不到成绩。如果我们把试卷放错地方，就会不及格。如果考试作弊，即使没有问其他人，我们也会被取消考试资格。"晚上，伊丽莎白非常紧张地为第二天做准备，从晚上 9 点一直到午夜，她都无法入睡，在努力地想自己是否做过什么错事，以防第二天会遇到麻烦。她和焦虑并肩而行。

伊丽莎白的担心，完全应该属于"坐在教室最后排的"后进生们，他们打发时间，不认真听讲，违反纪律。老师在课堂上说严厉的话，并且试图引起学生的注意，实际上并不是针对伊丽莎白的。如果老师可以对魂不守舍的伊丽莎白说一句"这不是说你呢"，那就好了。

FREEING YOUR
CHILD
from ANXIETY **焦虑心理学**
广泛性焦虑症的危险信号

- 总是有一系列的焦虑问题，每天都有不同的焦虑；需要提前了解事情的细节；

迫切想了解有关流程的问题。

· 对于随意的评论异常刻板、认真。

· 着眼于未来：作为小学生却担心将来是否善于驾驶，高中生却担心大学毕业后的就业问题。

· 表现恐惧：完美主义，非常害怕做错事，总是重复检查确认，害怕惹上麻烦，害怕失败，害怕不完美的表现。

· 社交／人际交往恐惧：害怕朋友不喜欢自己，害怕朋友生自己的气；害怕考试和报告——我会考砸的，老师会非常生气；其他的同学会笑话我笨；我的家长也会生气的。

· 关注家庭：时刻关注父母的婚姻状况，担心只要不是晴天，父母就会吵架，或者离婚。

· 疾病恐惧：一个小小的症状可能是重病的征兆："今天，我的嘴巴感觉不舒服，像是含了硬币似的，这是中风的征兆吗，我在电视上看到过。"关注资金及财政状况，如生活用品、住房维修、看医生的花费。

· 压力的后果：总是紧张不安，情绪紧绷，不能安心，很难集中精力和入睡，头痛，胃痛，易分心，不能乐享事物；因日程安排而感到不知所措。

干预方法：启用第二反应

患有广泛性焦虑症的儿童要学习非常有效的方法，那就是风险探测。如果发现风险发生的时间不对，他们可能会让自己安心，告诉自己风险并不像自己想象的那么可怕。只有当儿童可以用怀疑和嘲讽的态度，甚至傲慢地对待这些焦虑的反应时，他们就不害怕了，而是说："是的，焦虑，事情有可能是这样的。"他们比焦虑更明智。这比任何的安慰行为都更有效，可以让儿童如释重负。当好心的家长、老师，甚至是治疗师从表面上理解焦虑，急于作出安慰的时候，他们可能没有抓住这个重点。

｜重新标识焦虑｜

当儿童认为他们的焦虑想法和机智想法是一回事的时候，他会很难消除焦虑。如果儿童可以先将大脑信件分类，不是认真对待焦虑，而是抛开它，叫它傻瓜，将它作为焦虑大脑的夸大信号，这样就可以轻松地将风险降低，学会如何消除焦虑了。

|认知因素：给焦虑纠错|

儿童需要看到选择。不是立刻假设焦虑确有其事，感到痛苦，而是应该确定这件事是否真的有风险，估量风险的大小。现在有很多方法可以生成后者这种替代选择。儿童是否跟你谈过他对什么特殊情境感到害怕，把它写在纸上。然后指导儿童想出第二反应，或者是他认为在这种情况下最可能发生的反应。参见第5章的观点，以及那些获取更多现实性想法的方法。要做得非常有创造性，可以上演一出辩论，让焦虑和孩子对抗，也可以将焦虑唱出来，将事实讲出来。所有这些干预方法，都能帮助儿童获取第二反应，也就是现实性的反应，强化孩子头脑中可以作出选择这一想法。

一旦你和孩子建立起这些想法的选择，就可以分析焦虑的想法，识别大脑歪曲事实的把戏。当孩子看到这个把戏后，他就可以自信地应对，知道忽视这些焦虑的想法是安全的。最常见的思维错误是只想到情境的恐怖性，而没想到事情发生的可能性，让感觉掩饰了事情的真相。例如，当老师谈到坏疽，孩子可能会为了上周的割伤而感到焦虑，担心这个伤口会被感染，最后不得不截肢，这样的话他将如何弹钢琴、写字、开车？要让孩子有机会跟你交谈，告诉你这些天都发生什么了。如果他有困难，你可以帮他一把，当你将"麦克风"从焦虑那里转交到孩子那里时，你可能会吃惊地听到，他知道的事情可比你想象中多得多。

当儿童将自身的恐惧聚光灯关掉而投向其他人，甚至是你的时候，你可以提醒他风险的存在。我有一个病人，名叫埃莉，她非常怕狗。我扮演了一个害怕坐船的人："我会翻船的，全身湿透，我还不擅长游泳，如果我无法浮出水面怎么办，我会在水中挣扎，有人会救我吗，如果周围没有人怎么办？"埃莉看后笑了。我问她为什么笑。她说："因为这种事情不会发生的。首先你穿了救生衣，你可能会全身湿透，但那又怎么样！"埃莉喜欢皮划艇运动，和这项运动相关的风险她都可以接受。我们承认在对待皮划艇的事情上，埃莉的焦虑大脑是正常工作的，没有因为风险的存在，而过于惊慌失措。这样，我们就可以将这个发现应用到她害怕狗的例子中。

歪曲事实真相的第二种方法就是用感觉来混淆事实，这种错误可以通过风险评估来分析和纠正。再次看看第4章中提到的饼图。儿童需要画一个圆圈，用它来代表自己害怕某事发生的百分比（举例来说，窃贼破门而入），另一个圆圈显示自己认为事情真的会发生的百分比。让他知道，他会像他感觉的那么害怕，但是感觉害怕并不代表可怕事件发生的可能性更大。如果他坚信自己的焦虑已经开始下降，跟管理计划一致，那么，鼓励你的孩子做他所想的。他现在会选择想什么或者做什么呢？

│焦虑尽在掌握：让儿童做主│

安排焦虑时间。患有广泛性焦虑症的儿童整天都进行着焦虑对话。帮助儿童更多地控制，增加无焦虑的时间和领域，方法就是每天划分出焦虑时段。参看第4章中关于焦虑时间的说明。当焦虑在规定时段之外而来时，儿童可以简略地记录，或者回绝它："还没有轮到你出现的时候，你必须要等待！"如果将焦虑时间安排在放学之后或者是傍晚，那么这就会减轻睡觉时候的紧张，因为一般来讲睡觉时间都是默认的焦虑时段。如果儿童担心将来的事情，经常想象将来会有多可怕，如小学三年级的时候就担心上高中、生孩子、付账单等事情，那么帮孩子设定一个日期，或者某一年，告诉他从这个日期开始想这些事情，会更加有意义。

反驳交谈。让儿童增加焦虑控制力的另一种方法就是反驳交谈，甚至是对焦虑发火。患有广泛性焦虑的儿童经常会因为紧张而感到不知所措。练习使用"发号施令"的谈话方式，这在第5章有过描述，这种说话方式会让儿童感觉如释重负。通过角色扮演的方式，让儿童听见焦虑的声音，由你来扮演焦虑："你不能那样做，这很冒险的，听我说，我是在捉弄你，哦不不，我是在帮助你呢。"儿童会回答说："你才没有在帮助我，焦虑从来就没有保护过我，而只是浪费我的时间和精力。我可以与这些风险共存，但是不能和你共存！"互换角色，唤醒孩子，不要让感觉来做主，要用理性。

│降低紧张感的生理信号│

虽然具有慢性焦虑的儿童不会有头痛、胃痛的症状，但是通常情况下你可以读出他们脸上或者身体上惴惴不安的信息。因为思维和身体可以暴露彼此的弱点，这有助于我们保持两者更好的平衡状态。参见第 4 章中关于呼吸和放松的练习。

| 广泛性焦虑症的适应练习 |

对于患广泛性焦虑症的儿童，适应练习就是让儿童不要对恐惧作提前预防。有时候这意味着做事不完美，另一方面也意味着不用抱歉，不用询问别人是否因自己可笑的外表而抓狂，儿童应该形成一个关于恐惧情境的层级表。这些情境可以列在"阶梯学习"中来练习，从程度最低的恐惧和焦虑开始，一步步向上攀升，逐渐暴露，最终达到最高程度的恐惧和焦虑。当儿童可以重复地暴露于某个情境时，就说明这个情境可以处理和掌控，他甚至会感觉这个情境简单和无聊，完全做好了攻克下一步的准备。奖励和刺激可以用来鼓励儿童的成就感。下面的层级表就是患有广泛性焦虑症的儿童的例子。目标是让儿童可以更好地处理不完美和错误，避免焦虑充斥儿童的整个人生。

举一个与学业有关的例子，老师应该要知道，儿童生活在焦虑想法造成的极大痛苦中，他需要练习来减少错误，确保他可以处理某些情境。教师通过强化每个人都会犯错的观点，以此来支持儿童的适应练习，让这些暴露疗法更容易掌握。表 6—1 就是一个儿童挑战焦虑的例子，他尝试不为每件事都觉得紧张不安。这些列出来的挑战都是按照从上到下、由最简单到最难的顺序排列的。

表 6—1　　　　　　　　　　儿童对情境的恐惧度排序举例

挑战情境	恐惧度
不要与吉米反复检查家庭作业	50
不要问朋友是否因为我而生气	60
不要因为笔记不工整而重新做	65
遗忘一本书在家里	78
故意忘带一件健身服	80
故意忘写一课作业	100
当老师看着我的时候，故意做出烦闷的样子	100

请注意！耐心与聆听

"你给老师写假条了吗？"

"已经问了无数次了，我会在早饭后写的，不用操心了！"

"但是你如果忘了怎么办，这样她就不知道你要提前来学校接我。你会提前来学校接我，对吗？"

"彼得，你知道答案的，是的，我会提前去接你的！"

"但是你有可能会忘记，还是把这件事情写下来，以防忘记了。"

"够了，彼得，不要再操心了！没事的，就像以前一样！"

"但是，如果你真的忘了怎么办，你能写下来吗？"

"不要这样，彼得，停下来，够了，我是你妈妈，我负责这件事！"

上面的对话，说明了焦虑会导致过度地计划，儿童正尝试着控制他的父母。患有广泛性焦虑症的儿童并不一定都会预先制订计划，让计划来控制你，让你发疯，但是他们确实会需要了解接下来要发生的事情。你越是自己行事，儿童就越会追问细节。焦虑在控制儿童。对家长最大的挑战就是不要对焦虑的孩子失去耐心。要知道这些儿童就像是被焦虑虏获的人质，而你和孩子正在对抗共同的敌人。当儿童想要知道你活期账户里有多少钱，谁打来电话，或者你刚才在谈论谁时，在重新标识发生的事情的同时，尝试着有些变化："谁想知道，是你还是你的焦虑？"让儿童自己停下来，并转告焦虑不要再来打扰，直到他成年为止。

对家长来说，另一个挑战就是不要仅驱走焦虑。不要因为某个情境没有吓到你，就认为这个情境对孩子来说也不可怕。当没有人知道儿童在焦虑的时候，他们正承受着巨大的痛苦，大把无用的时间被浪费在害怕上。仔细地聆听儿童的恐惧和焦虑，在这些隐藏的背后，可能有一些错误的想法需要你来纠正，一些问题也等待你帮忙解决。

6岁的威尔有就学困难。每天早上他都哭喊，拖延着不肯穿衣服，试图藏起来，为了不去上学，可以做任何事。他的父母非常困惑，想知道是怎么回事，但是就像其他家长一样，他们认为威尔只是对学校生活有些神经紧张，或者是为了吸引家长的注意，最后他们还是将孩子送往学校。当威尔准备好去上学的时候，他的妈妈悉妮问他为什么焦虑，他才语无伦次地道出了真相。他如此害怕是因为学校里有个年长的学姐，在一次竞技游戏中相遇时，曾对他说要杀了他（当然是开玩笑）。威尔会想：她会怎么杀掉我呢？会把我勒死吗？会在学校的更衣室下手吗？这些想法远远超出了其他正常孩子的想法。尽管杀人是很可怕的，不应该拿这件事开玩笑，当威尔的这个焦虑想法试图通过焦虑网的时候，却被卡住了，并且这个想法停留得越久，他就越痛苦。故事的前因后果已经清楚了，悉妮现在可以帮助威尔消化发生的事情，让他安心，并且帮助他吸收更多的现实性信息，把这些信息加入到他的想法中。

焦虑的孩子

甩掉控制的伊丽莎白

我在前面提到过伊丽莎白，她从很小的时候，就开始焦虑。当她 4 岁的时候，家里的车坏掉了，她拒绝坐租来的车，不只拒绝还大哭大闹，因为"闻起来不同"。她的妈妈在那时就知道，女儿在某种程度上失控了。伊丽莎白的"恐惧"越来越强烈，她需要帮助。伊丽莎白有众多恐惧，包括她将要得病或者呕吐、害怕犯错误、要发生不幸的事情，等等。她每天晚上睡不着觉，直到午夜还在想她生命中潜在的问题。伊丽莎白害怕跟妈妈分离。在妈妈工作的时候，除了去学校，她哪都不去，不去朋友家，不参加学校旅行。在她 10 岁的时候，她变得非常悲伤和痛苦，因为她要一直为那些她不想做的事情找借口。她几乎不跟朋友玩，也不去其他地方。4 个月后，学校要组织露营之旅，欢迎每个人参加，而她也打算参加。她时常感到紧张。如果有人在课堂上不遵守纪律，她担心所有人都会惹上麻烦。她感觉她有责任让所有事情都保持平静。

伊丽莎白的恐惧雷达抢走任何"如果……"问题的可能性。当她去朋友家，她会想：如果着火怎么办？在朋友的车里，如果有故障怎么办？是什么不太好的味道？如果朋友的爸爸不擅长驾驶怎么办？如果被邀请去吃晚餐，她会想：如果食物不好吃怎么办？我们要做的，是关掉焦虑录音带，因为它只尝试寻找烦恼，它会找到小小的风险，并将它转化成大的风险，让任何事都变得索然无味。伊丽莎白开始了解焦虑的把戏了。她可以更轻松地指出焦虑，并且意识到，当她自己发号施令的时候，感觉会更好，不是因为情境改变了，而是因为她的思维改变了。

对于旅行，她害怕忘带东西，害怕没有她喜欢的食物，害怕参加任何活动。"我可能也不喜欢和我一起住的人，如果我睡不着觉，其他人能睡着吗？"我们研究了这些焦虑的想法，并且制订出了一个方案。她知道旅行只有 3 天，她不会饿死，即使不睡觉，她也能熬过来，她的老师也会帮助她。总体上讲，她的"焦虑虫"让这一切都变得很糟糕，如果她能够将焦虑的音量调小，那么离开学校几天，将会是一个极好的放松机会，可以跟朋友待在一起，证明自己可以做到这些。

下面就是我们列出的她的学习阶梯（参见第 5 章）。

学习阶梯
我知道怎么回事，现在我要展示！

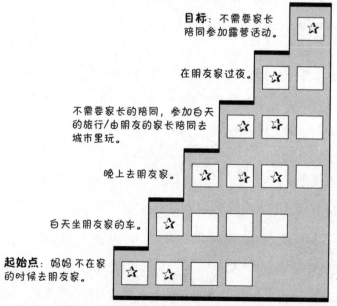

目标：不需要家长陪同参加露营活动。

在朋友家过夜。

不需要家长的陪同，参加白天的旅行/由朋友的家长陪同去城市里玩。

晚上去朋友家。

白天坐朋友家的车。

起始点：妈妈不在家的时候去朋友家。

电子邮件：2002 年 10 月 12 日

你好，塔玛！最近过得好吗？猜猜发生什么了？我去朋友家过夜了！我去了泰瑞的家。她是我的一个好朋友。晚上，我有点担心是否能睡着。但是最终我做到了。早上起床后，我真的为自己而感到骄傲！现在我感觉更自信了，我觉得我可以面对"胜利营"的活动了。

希望早点见到你！

伊丽莎白

电子邮件：2002 年 10 月 18 日

亲爱的塔玛，我做到了！我已经完成了我的任务，克服了我的恐惧，战胜它们了！我参加了三天两夜的"胜利营"，一点问题都没有！我着实为自己感到骄傲！猜猜怎么了？我甚至都没有给家里打电话！我太自豪了！

伊丽莎白

伊丽莎白感觉自己在对抗恐惧，并且获益匪浅。"我当时有太多不好的想法了！现在，我已经学会了将这些不好的想法赶走。因为它们在那，并不意味着它们是对的，事实上，它们基本上都是错误的。并且我认为这些想法浪费了我的时间。我主要是强迫自己做那些有困难的事情，证明我是有能力的。我感觉棒极了。"

ADVICE / 建议箱

- ◆ 过度计划：发挥自主性，临时改变一个计划，毫无目的地的外出，给孩子"即兴表演"的机会。

- ◆ 追寻确定性：不要将"可能"作为答案，训练对"可能"的忍耐性，领会处理"可能"的答案（相对确定的答案）。

- ◆ 小题大做：给焦虑赋予一个编码或者短语，表明它的滑稽。例如，"飞行的猪警报"，或者"大脑虫"，只要是可接受的范围内就可以。

- ◆ 慢性焦虑：将焦虑以缓慢或荒诞的腔调唱出来，保证可以降低焦虑想法的可信性。

战战兢兢的小孩
从一般恐惧到真正的恐惧症

> 我希望他们可以在外面建一座小虫房，这样所有的虫子都会待在一起，就不会骚扰我了！
>
> 和儿子言归正传，谈他的问题，我竟然不知道该如何回答他。有时候我会骗他，说："不会的，我们这一路上不会碰到狗。"这样他就不会再问。我知道这是不对的，但是为了让他能够走出家门，我还能怎么做呢？

有些儿童在面对恐惧情境的时候会变得麻痹僵硬，而这些恐怖情境，在同伴眼里却再正常不过。有的儿童对拴住的狗都觉得战战兢兢，而另外一些儿童却可以开开心心地将狗作为宠物，作为友善的朋友对待。为什么会有这样的情况出现呢？可以说，那些焦虑的孩子戴上了焦虑眼镜，他们看到了不同的狗。他们只注意和夸大情境中恐怖结果的可能性（看到狗锋利的牙齿，它要咬我），而忽略了其他重要信息（狗是拴着的，它正在高兴地摇尾巴）。透过焦虑儿童的思维，风险被夸大了，孩子进入了生存模式，并且坚持要避免类似情境的出现。家长经常犯的一个错误就是忽略了孩子战胜恐怖情境的机会，其实通过将情境还原成更真实的状况，可以弥补那种错误。家长易犯的另一个错误是让孩子完全远离焦虑情境，这样做儿童将永远也学不会处理焦虑问题。有些家长还坚持让孩子毫无顾忌地面对焦虑，这样会让孩子变得十分敏感，让他们更加坚定了回避恐惧情境的决心，这样对干预非常不利。这一章中，你将会学到成功治疗恐惧的公式：首先通过认知练习，降低恐惧的风险；然后通过适应练习，慢慢地接近简单的、可以掌控的恐惧情境。首先我们会探讨一下儿童是通过什么方法来获得恐惧以及强化恐惧感觉的。当家长理解了恐惧的来源，他们就可以更好地对症下药。在对一般的恐惧症治疗方法做了回顾之后，本章还会介绍不同恐惧症类型的特殊治疗方法。

在第 1 章中，我们回顾了恐惧的正常发展顺序。这些恐惧的获得和解决都是儿童发展的表现。只不过一般的恐惧和恐惧症的区别并不在于儿童恐惧的内容，而在于对待恐惧的反应。在童年期，儿童"一般恐惧"的内容有可能是相同的，但是这些恐惧的强度和对儿童日常生活的影响却是不同的，儿童会感觉困惑、尴尬以及受到约束。对于恐惧症的官方诊断标准是症状要至少持续半年。但这并不是说要等 6 个月来确定问题的存在，最好是当孩子第一次说出恐惧的缘由时，就积极应对，预防恐惧症的出现。

恐惧的信号

接近 10% 的成年人，和 2%~4% 的儿童有过特殊恐惧症的经验。这些恐惧症是对于特殊情境或者目标起反应的，它是受限的、不理性的、持续的恐惧。特殊情境的常见例子，包括高度、小动物、医疗程序、黑暗、雷、闪电，还有一些次常见的例子，包括鸟、报纸、月经、酸奶（酸奶这个例子是我在一个研究中读到的），还有一些极特殊的例子。有趣的是，各种各样的恐惧症可以被归纳为几个主题：动物、情境（电梯）、流血或受伤、自然（龙卷风）。那些常见的主题正反映了在生存中进化所起的两面性作用，即对某些刺激要保持敏感性。对蛇或者蜘蛛的原始恐惧继续保持着，尽管在生活中接触到这些刺激的机会是有限的，但它对维持生命的长久具有很大作用。现在有很多儿童都患有恐惧症，其中许多都没有得到及时治疗。为了避免和免遭一般活动的干扰，恐惧症的其他危险信号还包括：

- 恐惧与成长阶段不同步：令儿童感到痛苦的情境，是在较早的阶段就应该解决的问题（一个青少年怕黑，一名 10 岁的儿童怕狗）。
- 抛开常识，失去主意：儿童丧失了应对恐惧情境和处理问题的能力。例如：蜜蜂想要叮我，我不得不去医院看病。
- 对暴露很敏感：当你试图帮助孩子面对恐惧的时候，孩子变得更加痛苦和行为紊乱。
- 预期焦虑（事先计划）：儿童在事前问了过多问题，例如：那里会有狗吗？我们必须出去吃饭吗（害怕蜜蜂）？他们拒绝去没有安全保证的地方。

干预方法：和孩子一起学习

了解儿童的恐惧是如何发展起来的，对于家长来说非常有帮助，它给家长指引了方向，让家长帮助孩子改掉毛病，并和孩子一起学习。

| 共同学习 |

如果不站在儿童的角度上看问题，你就永远无法体会儿童的恐惧。为什么一个孩子会突然对桥梁感到恐惧？家长会有莫名其妙的感觉。如果你换个角度去想，就会变得很简单：家里卖掉汽车，换了一辆小货车，当货车驶过小桥的时候，这让孩子第一次看到了桥下的流水。你要帮助他认识到，坐在这个较高的小货车里和坐在以前的车里是一样安全的。"如果我可以看到水，我就会掉到水里。"焦虑的小故障出现了，这就需要多过几次桥才能克服。一个孩子在 11 个月大的时候还睡在父母温暖的怀抱中，感到非常有安全感，18 个月大的时候突然开始对他高个的叔叔感到害怕。现在他 18 个月大，可以走了，看他的叔叔像个巨人。在这种情境中，习惯疗法就意味着将叔叔的高度降到孩子的高度，让他躺在地板上，和孩子一起玩游戏，这样孩子就可以建立新的印象，他会感觉高个叔叔很有趣，而不会觉得他是个吓人的大家伙！在这个过程中，叔叔可以慢慢地试着坐在地板上，然后跪着，最后站起来。儿童害怕房间里的怪物，并且坚持说他听到了怪物的呼吸。经过进一步的了解，家长知道所谓的"呼吸声"就是电热器吹出的风，然后向孩子解释电热器开关的情况。了解了这个事实之后，儿童就不害怕了。当他再听到电热器的声音时，他就会说："电热器开了，这没什么好害怕的。"

│直接体验和模仿│

有些恐惧症儿童亲身体验过恐惧情境，正是这种体验让他们有了消极的痛苦反应。每当这些情境出现时，大脑都会提取出当时吓人的画面，大脑的环路就被激活了。一个孩子，曾经在生日派对上被饼干噎住，造成短暂的窒息，此后他对生日派对开始感到焦虑，因为"生日派对＝饼干＝窒息＝回避"，久而久之，他会开始恐惧吃任何硬的食物，甚至恐惧吃东西。还有直接体验的其他偶发方面，例如事件发生的地点和事件发生前的情况。例如一个儿童在阳台上被蜜蜂蜇了，这会让他再也不想去那个阳台。一个儿童在吃了吐司之后呕吐了，他会认为是吐司出了问题，但事实上这只是一个偶然事件，他无论如何都会呕吐的，因为他病了。对于家长来说，最好是对这些临时产生的联系心中有数，并且给孩子列举更多感到舒服的例子，这样可以帮助孩子找回逻辑。"如果你的游戏机在客厅里坏了，你就再也不在客厅里玩了吗？还是知道游戏机在哪都可能坏掉？知道这样的事情发生过许多次，是不是很多次什么问题都没有？"

有些恐惧症儿童会通过看到和听到别人如何应对情境来学习。模仿是主要的学习途径。如果和一个幼童相处一会儿，你就会知道为什么了。当你蹲下和孩子保持一个高度的时候，他就会模仿你，你小声说话，他也小声说话；如果你看到蜘蛛，叫喊着跳上跳下，那么孩子也会做出同样的举动。儿童可以给经历自由地贴标签，因此家长要注意，儿童将你们作为榜样，在注视着你们的行为和恐惧。家长在这些情境中要试着保持冷静，一旦过度反应，要及时回过头来跟孩子解释当时的状况。孩子对呕吐的恐惧，部分来源于家长的反应，当孩子呕吐的时候，一般家长都是一副惊恐的神情，像躲避迎面驶来的汽车一样，抓起孩子冲向浴室。

最后，影像的作用也会导致恐惧症。在电视上看到飞机坠毁，既形象又悲痛，这种画面会给孩子留下深刻的印象，久久不能散去，他们甚至可以感觉到自己就在现场，身临其境。儿童可能会因为在电视上看到火、飓风、体型庞大的动物，而感觉异常害怕。通过新闻或者其他节目，儿童会认为灾难是很常见的，不论你住在哪里，都很容易发生火灾，遇到灾难性天气。非常悲伤的事情是，很多儿童看到过"9·11"事件的不断重播，他们会认为每次看到高楼倒塌都是不同的高楼倒塌，因此他们认为飞机撞向高楼也是随处可见的。影像可以胜过千百个真实的想法，因此家长要格外注意儿童观看的节目，并且在孩子看完节目之后，了解他们对节目的看法，纠正他们错误的想法。

如何应对一般恐惧

|第一步：认知重构|

想象一下，如果你害怕吃干的食物被噎到，那么治疗的第一步就是有人强迫你去吃。你可能察觉出危险，忙于保护自己，并从中唯一学到的事情就是不能相信治疗师！当感到恐惧、害怕的时候，你不可能"说做就做"。因为恐惧症的潜在原理就是接触恐惧情境会导致身体上的伤害，这种信念首先需要表述清楚并且进行分析。在头脑中生成更加现实性的想法，例如被噎住是很少见的、身体的本能就可以处理这个问题、对我们来说吃饭并不是危险的事情、只要放松我们的身体就会知道如何做。这样你就更愿意去接近你的恐惧，和恐惧进行互动。在下一次让儿童"说做就做"之前，想想上面的观点。

先讲故事，再纠正。我们在管理计划中看到，孩子需要纠正焦虑的错误观念。但是在纠正错误观念之前，他们需要先将自己的恐惧准确地表达出来。先让孩子将恐惧的想法写出来（或者是和小孩子玩角色扮演），看看他是否可以识别大脑跟他玩的小把戏。看一看第4章中关于建立现实性想法的建议：将想法拉下焦虑的轨道，看一看生成的饼图，给焦虑评分，上演焦虑大脑和机智大脑的辩论赛，用正确的想法来重新形成大脑回路。其他要考虑的观点是：

● 如果儿童对于某些先前的经历感到恐惧，让他直接走进他的故事里去。不要在最艰难的部分停下，一定要让孩子告诉你事情的结果。要让他们明白"曾经"并不意味着"总是这样"。问他是否从那次经历中学到什么。

● 每个恐惧都有一些真实的影子。不能因为风险的存在，就认为最坏的事情都有可能发生。要经常做关于恐惧的研究：就像兽医和宠物主交流心得一样，家长可以看书、跟专家交谈、学习如何在情境中保证安全。观察其他孩子是如何处理情境的：他们在意受伤吗，他们的大脑会给他们不同的信息吗？

┃第二步：接近恐惧：系统脱敏┃

逐步暴露的系统脱敏是恐惧症可选择的治疗方法。这意味着将恐惧分成可接近、可处理的小部分，找到儿童的起始点，然后使用恐惧测试计作为指导，从最简单到最难的顺序挑战。起始点不同，终点也不同。很多患有恐惧症的儿童对自己的恐惧太敏感，甚至只是提到恐惧情境就受不了了，要捂住耳朵，对于这样的孩子，起始点就不能设置成直接面对蜘蛛，而是要倒退几步。在说到蜘蛛这个词的时候，如果儿童只是捂住一只耳朵，那么多次练习之后，就可以做到不捂耳朵，慢慢地，可以写这个词，用拉丁语、英语说蜘蛛这个词，看书里面介绍蜘蛛，画蜘蛛，收集蜘蛛的信息，给大人讲蜘蛛的故事，对着假的蜘蛛调整呼吸、进行发号施令的对话，最终可以一步一步地接近真的蜘蛛了（将蜘蛛放在瓶子里，通过顶端的洞可以戳到它）。

有些恐惧可以用想象暴露的方法治疗。制作一个描述你的孩子面对恐惧的录音带。让这个录音带的内容与孩子的恐惧相关，并且是现实的，如关于呕吐的事情（你感觉忽冷忽热，喉咙不舒服，跑向了浴室）或者是吃东西被噎住的遭遇（你吃了一块糖，但是糖卡在喉咙里，你感到喘不过气，你尽量放松，咳嗽，吐出了糖块，最后没事了）。让儿童每天听几次录音带。最开始的时候，录音带可能引起焦虑，但实际上，儿童会"把录音带听到坏"，之后，它就不会再烦扰到儿童，脱敏就完成了。当录音带的内容对儿童来讲变得无聊和可笑的时候，你就知道儿童听得足够多了（孩子已经记住并且可以跟恐惧情境开玩笑了）。

脱敏终点的制订也是灵活的。有些儿童只是想做到容忍恐惧情境；在这种情况下，最终的目标将是在有蜘蛛的房间，坐着看电视、阅读，不去注意蜘蛛的存在。还有些儿童想跟恐惧物有互动；那就意味着让蜘蛛爬到自己拿的木棍上，或者用杯子或者玻璃罐，将蜘蛛从室内放回到大自然中。请家长记住，当孩子在这个过程中有进步的时候，他的恐惧就会降低，因此儿童也会进一步改变目标。

如何让系统脱敏发挥最大的作用？想想交互抑制。我们在第 4 章中学到，你可能同时处于两种感觉状态：当有另一种复杂的情绪对抗恐惧的时候，它就会让恐惧削弱，儿童就会感觉没那么焦虑。放松，当看到蜘蛛的时候深呼吸或者做鬼脸，愤怒的情绪也可以对抗恐惧。儿童水平的幽默也非常有效：例如，杰克这样处理他的呕吐焦虑，他假装呕吐到家人身上，并且将假的呕吐物放到房子周围，看看谁被骗到。克服黑暗恐惧的过程也不一定都是令人沮丧的。儿童可以在地下室里玩手电筒跟踪，或者在黑暗中玩闪光玩具的寻宝游戏。底线是让"焦虑工作"变得有趣，不仅仅让这个过程吸引人，还要让儿童的生理机能更有效地运作。不要害怕乐趣太多！

FREEING YOUR
CHILD
from ANXIETY **焦虑心理学**

适应练习指南

- 由于儿童对恐惧的默认反应是回避恐惧情境，因此任何同恐惧情境的互动都是进步，即使在你看来还差得远。
- 制作一个"学习阶梯"的步骤层级表，儿童将会通过各个步骤慢慢地克服恐惧，达到最终目标（参见第 5 章）。
- 在对恐惧进行调查研究之后，让儿童跟父母、祖父母、兄弟姐妹分享他从中学到的有关恐惧症的方方面面。儿童会感到很骄傲，并且这会强化儿童正确地认识恐惧的目标和情境。
- 让儿童练习着接触恐惧情境，可以使用毛绒玩具、角色扮演、画卡通漫画等方式，或者让儿童在相同的情境中，观察其他人的做法，在头脑中铭记。
- 儿童应该时刻准备着迎接恐惧情境，尽量用冷静、放松的方式，并准备好对情境发号施令。
- 在暴露过程中，互换角色："蜜蜂害怕你吗？蜜蜂会说'请不要让我接近它，我会死的'吗？"或者让儿童做一个科学记者,写下对情境观察后得到的客观"数据"。你观察的那只狗什么样（颜色、尾巴、行为）？地下室什么样（窗户、门、灯的数量）？这会让孩子有一个机智的状态而不是焦虑状态。他可以跟其他焦虑的人分享自己的所学所得。

- 在没有看到焦虑明显降低的情况下，不要轻易地改变恐惧情境。当儿童的恐惧度降低 50% 的时候，暴露才能算是成功的。家长不要过早走开。如果儿童遇到麻烦，可以从当前的情境中退后几步，但不要脱离，先回到上一个挑战情境，看看儿童是否可以成功克服。
- 不断地重复阶梯学习中的每个挑战情境，直到它们不再引起焦虑，一周练习几次。每天练习效果会更好。如果孩子成功地进入下一阶段，家长要给予孩子赞扬和肯定。
- 经常进行暴露练习、角色扮演，以求达到最佳效果。如果两次暴露的间隔时间太长，儿童会忘记他已经战胜了这个情境，从而倒退到焦虑预期的状态。
- 制作一个进度表，用贴纸或者分数来表示。给予孩子相应的奖赏和鼓励（参见第 5 章）。

以上的步骤适用于所有的恐惧症案例。接下来我们会详细地介绍恐惧症的 5 个子类型，探讨它们的特殊治疗方法和潜在的危险。

如何应对特殊恐惧

特殊恐惧症的五个子类型

美国心理协会：心理疾病的诊断及统计手册第四版（DSM-IV）

◎ 动物类型：狗、猫、蜜蜂、蛇、鸟、老鼠。

◎ 自然环境类型：暴风雨、高原、水。

◎ 血液 — 注射 — 损伤类型：看到血、注射、医疗程序。

◎ 情境类型：隧道、桥梁、电梯、飞行、潜水、封闭的地方。

◎ 其他类型：窒息、呕吐、疾病、巨大的声响、穿着戏服的人。

│动物恐惧症│

认知障碍。 动物是危险的，它们就在附近，想要伤害我。

认知重构。 学着跟家养的动物安全相处，甚至享受这种相处，从而了解到这些动物并不是邪恶的，而是可爱的。要知道我们离野生动物很遥远，除非是在动物园或者去狩猎，不然很难接触到它们。

发号施令的谈话。我的体型更大，它们应该更害怕我。总是让我待在屋子里是不公平的。并不是每个出门的人都受到伤害。那是很少见的情况！我知道该怎么做，如果我站着不动，我就不会受伤。

适应练习的例子

蜜蜂

● 抓一只蜜蜂，放在玻璃罐里，一步步地攻克恐惧情境，直到儿童可以将这个罐子拿在手里。将蜜蜂放到罐子里，摆在屋子中，跟孩子玩游戏，直到儿童可以毫无顾忌地在屋里走动。

● 增加接近蜜蜂的时间。通过变化阳光和鲜花的量，来改变暴露的难度。数一数观察到的蜜蜂的种类和数量。

狗

● 用跟蜜蜂相同的方法，增加与狗相处的时间。让儿童透过窗户或者隔着门或栅栏观察一只熟睡的狗，看看在狗睡觉的时候，孩子能否一步步地靠近它，然后在狗醒着的时候，尝试着接近。隔着一段距离跟狗打招呼，每次更近距离地接触，都能获得加分。

● 越小的狗可能看起来越不吓人，但是小狗会更活跃，更闹。找一只小而安静的狗，或者是年岁大点的、不闹人的狗。金毛猎犬是首选。

|自然环境恐惧症|

认知障碍。天气是很吓人。一切都在动，我不能阻止，我需要让它们停下来。我不知道接下来会发生什么，我需要知道这些情况才能感觉舒服些。很多不好的事情都发生在暴风雨天气。

认知重构。如果这种天气真的危险，我的父母或者其他大人就不会让我出来。雨是植物生长所必需的，也是动物生存所必需的。雨从世界存在之始就有。雷和闪电只是雨的声响。当身边的事物移动很快的时候，我会觉得不舒服，但是我不需要知道接下来要发生什么。那是大自然的事情。

发号施令的谈话。我很好。声响很大，但是不会伤到我。它是很让人惊奇的，但我不喜欢惊奇，那只不过是巨响而已，因为空气中的电荷作用。雷声只是天空打的一个饱嗝！我不会让天气左右我的生活！每时每刻知晓天气情况，这不是我该做的事情。即使被雨淋湿了，那也没什么，我可以处理。我可以换衣服。如果有什么不安全的事情，大人们会让我知道的。

适应练习的例子

- 聆听关于雨和雷暴的 CD，这种 CD 可以在很多音乐商店买到。让儿童学着发出暴风雨的声音。用闪光灯一开一关的效果来制造闪电的体验。
- 更近距离地观察暴风雨。如果儿童躲起来，挡上窗帘，跑到地下室，或者避开窗户，那就逐步地从透过窗户观察暴风雨开始。让儿童调整呼吸，慢慢地吐气呼气，用机智的思维，在观看暴风雨的同时做一件事情。可以让儿童数路边的树，注意观察树朝哪边摆、雨向哪边歪。天空是一个颜色吗，还是不同的区域颜色不一样？在暴风雨中，从家里出来，去朋友家、去看电影或者参加其他活动。
- 有时候博物馆有关于天气的展览，在那里儿童可以学习并且在安全的环境中进行暴露疗法。儿童最初可能只能站在展览的背后，直到他感到舒服些了，或者他不能坚持看完所有展览。将注意力集中在孩子能做到的方面。

|血液—注射—损伤恐惧症|

认知障碍。会很疼的……非常疼……永远都疼！

认知重构。尽管这些过程不好受，但是通常对儿童的医疗诊治过程比较快。

很多患有血液或损伤恐惧症的儿童和成人，他们都体验过血管迷走神经反应，也就是晕血现象，这种反应通常是家族遗传。开始的时候，会感觉心跳加速、血压上升，接着是骤降，这会导致出汗、轻微头痛，有时会出现恶心和晕厥的现象。这些反应是生理的，而不是心理的。这些孩子在抽血的时候，最好是转移目光，不要盯着看。

适应练习的例子

- 尽量让这个过程变得有趣。让儿童先当医生，然后再转换角色。用棒棒糖做咽喉检查训练，舌头伸出来再缩回去，一直做到你和你的孩子都笑了。然后把棒棒糖奖励给孩子。

- 让儿童摆弄玩具医疗工具箱，或者是在监督下，使用真正的医疗用品（当然这要得到你的医生的帮助），让孩子看一下针是很细的；在家长监督下，可以让孩子给毛绒玩具"打针"，试着用一下压舌器或者血压仪。

- 用番茄酱或者食物的汁液来充当"血液"，练习适应血液。

医疗程序是很必要的，因此可以按照下面的建议来减轻儿童的焦虑。如果儿童需要打针或抽血，或者去看牙医、参加其他诊治过程，先帮助儿童放松，使其能轻松地呼吸。鼓励儿童配合你的呼吸节奏，防止过速呼吸；过速呼吸会导致眩晕的感觉。跟儿童的牙医或者医生说，孩子对看病感觉很有压力。很多小儿牙医和儿科医生都有一套类似催眠的分心术，能让儿童感觉更轻松，甚至都意识不到发生了什么。家长可以从旁冷静的对待，而不是只关注孩子的疼痛。这时家长要承载孩子的所有情绪，给予他们支持，成为他们的靠山。你可不想让孩子依靠的大山摇摇晃晃吧。

- 让医生或者护士告诉儿童，在扎针之前吸气，在针刚刚扎入的时候呼气。这是能够降低扎针疼痛的技巧。医生可以说："好好地吸一口气，现在呼出。"

- 用预期转移来标志时间的推移：让儿童在接受医疗程序的同时，想象另外一个活动。举例来说，他可以想象正在玩棒球跑垒，让他每一回合都跑一次；如果是小孩，可以让他想象正在给饼干怪物喂饼干。"第一个是巧克力的，然后是花生酱软糖的，下一个是麦片葡萄干的，就快要完事了！再喂两个饼干就可以了。"

- 积极的形象化：在看牙医或者儿科医生的时候，让儿童想象自己被保护起来，严严实实地裹住，这样就不会感觉疼了。让儿童选择"皮最厚"的动物，例如鲸鱼或者熊。"好了，现在穿上你的鲸鱼皮，再多垫几个枕头。这些枕头是什么颜色的？你想要几个呢？"

- 看看医生或者牙医在医治过程中是否使用录像或者音乐耳机。

｜情境恐惧症｜

认知障碍之一。在一个很小的区域里，身体因为受限而感觉不舒服。小空间，大麻烦。

认知重构。这没什么，我的大脑只是警告我情境的变化。我感觉不舒服并不意味着我就身处险境。有些患有情境恐惧症的儿童，会伴随着身体症状（在电梯中时腹部感觉往下坠），这让他们更加害怕。要让儿童知道他们的感受只是因为重力作用，这种感觉尽管很奇怪，但是完全没有害处。

认知障碍之二。如果不好的事情有可能发生，那当它发生的时候，我需要知道如何制止。

认知重构。我很好，这比过马路安全多了：我的大脑正在关注事情的危险性，而让我忽略了发生的可能性极小。我并不需要知道如何驾驶飞机或者如何操作电梯来让我感觉安全。那不是我该做的事情。电梯是给我们生活带来便捷的，而不是带来烦恼的。

发号施令的谈话。我感觉奇怪，并不意味着我身处危险。如果电梯不安全，那就没有人会乘坐了。我不想听焦虑的谈话。有些事情可能会出问题，但不代表真的会出现问题。我可不想只是因为电梯可能会坏掉，就一再错过航班。如果这真的发生了，我会处理的。

适应练习的例子

- 让儿童在百货大楼里练习乘坐电梯：每乘坐一层就可以得到相应的分数，最后可以用得分来换取商店里的一样物品。
- 试着改变境况：你在电梯里听的什么歌曲？如果你在想着电梯被卡住，那你就不会有愉快的乘坐经历。你可以选择在头脑中播放 CD。改变境况，你不需要一直听"焦虑之歌"，没完没了！唱出焦虑，说出事实。
- 告诉儿童，可以跟焦虑作对，在电梯里做滑稽好笑的事情，做鬼脸，吹泡泡，唱歌。

- 关于飞机：如果儿童被巨大的声响所惊吓，那么尝试想象乘坐飞机，伴随着声音效果，确定声音的来源。"那是轮子的声音，现在是发动机加速的声音，这声音比汽车大，因为飞机的发动机比汽车的大很多。"
- 关于隧道：可以做穿越隧道想象练习，目的地是儿童想去的地方。让他自己调整呼吸。通过想一些有趣的事情打发时间，而不是集中注意力在恐惧的感觉上。在隧道的第一部分，让她想想她的生日；第二部分，想想圣诞节；第三部分，想想学校放假的前一天。然后在现实中真正地过一次隧道。

呕吐恐惧症

如果我可以选择用一个章节来写某种恐惧症的话，我会选择呕吐恐惧症。在矫正治疗过程中，呕吐恐惧是最常见的。这也许并不奇怪，呕吐恐惧症在家长中同样很普遍，并且这种普遍性并没有减小的趋势。很多成年人极度害怕呕吐，由于担心晨吐反应而一再推迟怀孕的时间。对呕吐恐惧的增长是因为儿童不想被发现对糟糕的东西缺乏警觉。同时，他们觉得呕吐给人感觉很恶心。没有比成天想着呕吐物更恶心的事情了。回想一下"头脑列车"和暗示的作用。如果你开始想吃法式炸薯条，你会真的想要（即使两分钟之前你还不想吃）。如果你开始想呕吐的事情，你会感到恶心。有些儿童对呕吐有着极其不愉快的经历，例如在公共场合呕吐，或者吐在自己身上而没有衣服换，或者在学校看到别人在你面前呕吐。还有一些儿童的呕吐记忆是被父母飞速地拉到浴室，这使孩子自身对呕吐的恐惧值成倍飙升。对于呕吐有着不良体验的儿童，家长要跟孩子回顾这些经历。说出这些经历，并且帮助孩子给出一个他们可以接受的结论。

认知障碍。吃东西是有风险的；我可能窒息，感到痛苦，也可能会死掉。如果我想到呕吐，那就意味着我真的要吐。一旦我开始呕吐，我就停不下来。如果其他人在呕吐，那我也会呕吐的。

认知重构。将事实与感觉分离。事实上咀嚼和吞咽都是自动化的；你的身体是要确保你是健康安全的。人只有在生病的时候才会呕吐。人们总是想制止呕吐。呕吐是不愉快的，但是却很短暂，并不危险，你的身体在呕吐过后会感觉舒服些。

发号施令的谈话。我的身体知道该怎么做。吃东西是我生命的一部分，很容易的一部分，并不像发射火箭那么复杂！这些想法并不是恶心引起的，是焦虑出现的标志！焦虑持续好几周，呕吐只是几分钟：我放弃我的焦虑想法了，反正这种想法也没有保护我！

呕吐的适应练习

● 让儿童在口腔上部或者喉咙深处放一个棒棒糖，让儿童体验到自己可以控制这种感觉。当呕吐发生后，喉咙也会感觉轻松。

● 练习发出呕吐的声音；如果需要帮助的话，可以将麦片或者土豆泥放到舌头后端，有助于模拟呕吐。

● 让儿童观看、聆听治疗师或者家长呕吐，并且假装呕吐。观看有呕吐情节的电影（《公主日记》《雪地狂奔》《特工小子2》《太空牛仔》《情归阿拉巴马》）。反复播放这些片断，直到儿童没有痛苦感，只是一般的恶心。

● 儿童可以排演呕吐的场面和声音（用你在新奇商店里买到的假的呕吐物，或者用奶油汤和冻蔬菜自己制作），和家人一起谈论呕吐的事情。用假的呕吐物作传球游戏。

● 取消安全措施：不要带着塑料袋或者抗酸药。这些措施会让你头脑中的恐惧活跃，就好像在大晴天带伞出门一样。

对窒息的适应练习

● 给儿童穿上高领衫，或者围一个围巾，或者让他们轻轻掐住脖子。

● 在做下咽动作的时候，儿童可以吞下小块的糖果来帮助放松。

● 让儿童嚼干的食物而不喝水（椒盐脆饼干或者薯条）。

● 减少儿童咀嚼食物的时间（有些儿童为了防止窒息而过度咀嚼）。

● 为了不让儿童只注意到咀嚼，可以在吃饭的时候交谈或者阅读。

● 列出一个需要尽量避免的食物清单，硬的食物如肉，干的食物如薯条和坚果，然后再次尝试这些食物。

对于害怕药片或维生素导致窒息的孩子。使用小糖条、糖豆等来练习，增加自信，用来练习的东西一定要是好吃的。让儿童做以下练习：咬一口食物，然后从嘴里拿出来,把它跟药片比大小。儿童将会看到他的喉咙完全可以处理这个问题,让他了解药片吞下去是没有问题的。有可能是喉咙的过度保护模式,让儿童感觉到药片是"外来物"。通过足够的训练和良好的认知,他将能够推翻危险信息,咽下药片。

| 消防演习恐惧 |

认知障碍。消防演习的惊恐是很难忍受的。我不想受到惊吓,我必须知道演习何时开始。

认知重构。儿童需要做的就是改变关于消防演习的看法,让大脑了解这只是短暂的,可以控制的,是自身可以处理的情况。这样他们就不用每时每刻都处于警觉。告诉儿童是他的神经系统说"我不喜欢惊恐的感觉"。即使感到惊恐,这也是正常的,会过去的。这种惊恐感会维持一分钟或者更短,然后就没了。对恐惧的焦虑会让这种感觉更糟。

发号施令的谈话。消防演习是为了安全,并不危险。我可以忍受响声,一会儿就过去了,然后我就可以放松了!这是为了保护我,而不是吓唬我!焦虑比演习更差劲!消防演习,我可以受得了的。

适应练习的例子

● 用厨房定时器、烘干蜂鸣器、哨子或者烟雾警报器来练习。轮流控制声音,有时你来控制警报器,有时儿童控制。他会注意到惊恐是短暂的,感觉很快恢复。训练儿童进行缓慢地深呼吸,并且每当听到响声的时候自己对自己说,这只是个练习。他可以想象自己戴着耳机,这样声音就不会对他产生过大震动。

| 黑暗恐惧 |

认知障碍。如果我能看见,一定有什么东西在那要伤害我。

认知重构。是的,我看不清,但是我是安全的。什么都没有改变。我需要黑暗来帮我入睡。如果有光亮,我们的身体就不能入睡。

发号施令的谈话。我很勇敢，房子是安全的，我可以照顾我自己，我很好。焦虑虫，别再让我想吓人的东西了！现在是睡觉时间，不是恐惧时间。赶紧走开，我知道我很安全，你真邪恶！

适应练习的例子

2~10 岁的儿童会害怕黑暗。可能儿童在小时候缺乏适应黑暗的机会。还有些是关于睡眠和入睡困难的恐惧（参见第 13 章）。对于年龄稍大的儿童来讲，儿童对黑暗的恐惧结合了不能克服的窘迫和尴尬的感觉。黑暗恐惧通常结合了两种分离恐惧：独自一人和在黑暗中。这就是为什么当我们努力克服对黑暗的恐惧时，最好的办法就是从白天开始，并且增加一人独处的时间。

- 从白天开始：以一个短暂的任务开始，搜索一样物品或者做调查（楼上楼下，一共有多少电灯开关和窗户）。走着完成任务，不要跑！
- 在楼上藏东西，然后玩寻宝游戏。首先在白天玩（自己练习），然后是在晚上，用手电筒进行寻宝游戏。在不同的房间藏东西，在灯光下阅读，或在灯光下吃东西，将黑暗与愉快经验联系起来。
- 对于黑暗自身的脱敏，可逐步降低儿童房间里的灯光量。使用能在黑暗中发光的星星或者贴纸，来完成光明到黑暗的过渡。
- 对于幼儿来说，对黑暗的恐惧来源于藏在黑暗背后的东西，习惯疗法就是与有怪兽的想法作斗争。不要回避这个问题，而是研究这个问题。一旦你有了"怪兽不是真的"这一想法，你就可以和想象中的怪兽一起玩了。画一个怪兽，发出怪兽的声音，给怪兽起名字，讲一个关于它的故事。这样你就向你的孩子证明怪兽是想象出来的，不是真的。给这个具有超能力的怪兽编一首好笑的歌，或者好笑的故事，例如它怎么得了感冒，不能吓唬任何人，只能在那打喷嚏……

穿戏服的人

对于一些焦虑的儿童，任何新的或者不熟悉的事物都被标记为恐惧的。一个快乐的或者幽默的小丑可能就不适合这些孩子。通常情况下，人们是不会在自己脸上画油彩、顶着奇怪的发型的，因此即使小丑的初衷是为了娱乐，但是对于某些儿童而言，这种经历是恐怖的，因为小丑看起来是陌生的，儿童不知道会发生什么。观看这些穿戏服的人物，让孩子感觉已经超负荷，他们对儿童来说太高大了，而且经常很吵闹，很活跃，有太多需要立刻消化和处理的东西了。吉祥物、儿童在万圣节的打扮、成年人打扮成卡通人物，甚至是圣诞老人都会让儿童感到很痛苦。儿童的感觉可能会将这种经历当成看到怪物活过来，这对儿童来说，一点儿都不好玩。

解决方法就是采取一些措施，让儿童慢慢接受。家长可以紧紧地抱住孩子，一起经历，作出示范。"邦尼有一双大眼睛，像娃娃一样，邦尼其实就是一个友善的大娃娃。邦尼在跟我们挥手打招呼！你好，邦尼，我知道你很友善，但是你体型太大了，我害怕你。"当家长直接跟孩子解释的时候，说邦尼并不是真的，它里面其实有一个人，这种解释更可能会吓到孩子。幼童，即使是4岁或5岁的儿童都无法分辨真实和不真实，因此，当你解释有个人在里面的时候，可能会吓到孩子：邦尼把那个人吞进去了吗？他们卡住了吗？他们还能出来吗？经过一段时间，你可以尝试利用面具和戏服，先在毛绒玩具上面尝试，之后在人身上尝试，与此同时，短时间的暴露会更好。

如何预防恐惧发生

如果发现儿童又有了新的恐惧的事物，不要惊讶，时刻准备好就行。不是将他自身从感知到的不利的道路上驱赶走，而是要教会他这种情况是安全的。从情境中退出的情况要尽量地少，让孩子尽可能多地学习这一课。恐惧就是面对你不能做的事情，要被冻结的感觉；面对恐惧则是生成关于你能做什么的选择。大千世界中那么多需要探索的事物，有很多看上去就很恐怖，而儿童并不知道该如何理解。理解就是在事物之间建立联系。帮助儿童在新的和不熟悉的经验中建立联系，通过角色扮演、画图、模仿、发出滑稽的声音等方式，一步一步地向学习阶梯顶端靠近，最后取得成功。

- 缓慢而稳定地设定节奏。不要着急，记住高水平的焦虑对于克服恐惧没有好处。

- 回到"犯罪现场"，重新创设引发恐惧的情境，可以首先通过交谈或者角色扮演的方式。纠正错误，共同学习，将故事讲完，亲自接近情境，看看"曾经"就是"总是"的规则并不适用。

- 总是尝试着用很好的评价结束体验，即使只是部分成功。通过暴露，让孩子找到成就感。牢记在心，总是有做更多练习的机会。

不要心存侥幸，希望自己的孩子在经历创伤后不得恐惧症，例如狗撞倒了你家的小孩，或者 8 岁的孩子从水池跌落，14 岁的青少年被困在电梯里。给孩子些时间，不要强迫他立即恢复原样，而是帮助他以积极的、有建设性的方式来结束互动。让孩子自己说出发生了什么事情，看看在多大程度上他可以参与到相同的情境中。如果他做不到，很显然这就是一个他需要帮忙的信号，家长要帮助他分析发生的事情，同时学习如何处理儿童的恐惧。

焦虑的孩子

怕狗的蕾妮

蕾妮害怕狗。她的妈妈记得在蕾妮 5 岁的时候，她和伙伴们正在玩万圣节的传统节目"不给糖果就捣乱"，而蕾妮突然听到了狗叫声，吓得跑到了一辆行驶的车前。幸运的是蕾妮并没有受伤。整个家庭都努力帮蕾妮减轻她的恐惧，但蕾妮开始缺席很多社交活动，因为她不能去养狗的人家做客。蕾妮的父母建议家里养一只小狗来帮助她克服恐惧。虽然蕾妮同意了，并且帮助挑选小狗，但是这并没有消除她的恐惧，反倒让她感觉更糟了，因为她很害怕，而且不喜欢她的小狗。

蕾妮来找我治疗，我们给她制订了一个层级表，她可以从简单的情境开始，先是远远地看着她的小狗，想着这件事情，平静地呼吸，最终达到可以在屏风后跟狗"玩"的程度。她也可以在狗睡觉的时候看着它，这样做可以让她有机会了解到狗并没有她想象的那么吓人。她的狗叫斯派斯，她看着小狗跳上跳下地玩，很可爱，并没有伤害她。她也训练小狗，用命令的口吻说："不要这样跳。"蕾妮每天都写日记，写她跟小狗如何越来越亲近，她的恐惧指数是如何降低的。看着她自己写下的一行行字迹，着实让她自信了不少。应用各种暴露方法，加上来自父母的强力支持，以及蕾妮自己的宗教信仰，蕾妮可以越来越多地跟斯派斯互动，现在她已经是斯派斯最好的朋友了。蕾妮坚信她的这个经历让她成为了更坚强的人。"我已经可以去宠物商店了，并且很喜欢里面的小狗。去朋友家也没有问题了，我很享受这个过程。"她也学会了大声说出自己的恐惧，例如当她害怕的时候，她会让朋友拴住他们的狗。她会对父母说："你们总是想推动事情向前发展，但是有些事需要更多的时间。请耐心些吧，欲速则不达！"

ADVICE / 建议箱

◆ 将挑战情境写在纸上，放到罐子里，或者写在其他任何东西上。让儿童每天选择要克服的情境。

◆ 让儿童对他恐惧的事物了如指掌，让能力击垮恐惧。

◆ 让儿童采访其他人，了解他们是如何克服恐惧情境的，并且做笔记。

08

害羞的孩子
从害羞、社交焦虑到选择性缄默症

我并不介意在聚会或者生日派对上，帮助我的女儿打破沉默，但是事情并没有进展。当我提到我要离开时，她面露恐惧和绝望，我要如何帮助她呢？

迈克尔甚至不能跟同学有眼神接触。他在其他人身边待着极其不自在，可以说他就是"害羞得要命"的代表人物。当我问他交友状况如何时，他反问："为什么人们想要跟我出去呢？我可能会做非常愚蠢的事情，他们会笑话我的。"他不给自己社交的机会，我不知道该怎么做了。

社交焦虑开始了

看到雷切尔和家人在一起的场景，你会觉得她像是一个政客。每个话题，她都能从中插上几句，用愤青的口吻来发表她的看法——对于自己的感觉和想法，她从来都不吝表达。但是雷切尔只要一踏出房门，原来夸夸其谈的她就不见了，代之以完全不同的雷切尔。

我失去自信了，突然间对每件事都过多思考，好吧，我甚至不知道那是否算作思考。我感觉一切都像是在比赛，我的脸感觉很烫，担心自己会语无伦次。我像是站在聚光灯下，我能感觉出来，简直都不敢动弹。我觉得大家都在盯着我看，目光如炬。我实在是受不了了，总是跑到洗手间。一旦离开众人的目光，我就觉得好多了，能喘过气来。我觉得自己跟朋友聊天都像是在演讲，我真像个笨蛋。我这是怎么了？

在家庭以外的范围，是什么让雷切尔突然间判若两人呢？很明显，这不是她想要的感觉。如果焦虑是对风险和威胁的过高估计，那么社交焦虑就是对自己被审视、被判断的担忧，是对自己置身窘境的担忧。如果追寻社交焦虑的起源，我们可以追溯到很久以前，这种焦虑并不是因为担心毒果子或者野兽，而是因为担心人的行为，我们需要通过某人的眼睛读出他是否对自己有威胁。事实上，用这种方法跟孩子解释社交焦虑非常有效，也很有趣。

> 你的陈旧的大脑总是不停地寻找危险，寻找闯入你领地的侵略者。你感觉紧张、出汗、心跳加快的原因就是大脑给你发送了信号，信号的内容可能是有人要咬掉你的脑袋。你要做的就是重新架设雷达，以便降低风险。要做到这点，你就需要跟同学交谈或者到运动场去，而不是跑到敌人的领地。通过调整呼吸让身体保持平静，保持中立的思考。不久，你的大脑就可以适应，并且准备好一切去应对即将到来的危机，它会帮助你做你自己的。

有5%的儿童都经受过社交焦虑的痛苦。待在其他人身边，或者跟其他人接触都会引发心理防线的溃败。他们的大脑中充满了焦虑、规则、警告、批评以及各种灾难，这些构成了大脑的主要活动，因此大脑没有空间处理跟其他人的接触。如果不治疗，童年期的社交恐惧会对儿童造成影响，并导致学业困难、社交困难以及成年期的职业困难。幸运的是，社交焦虑有很高的治愈率，儿童可以学会如何获得社交能力和自信。

社交焦虑最让人痛苦的一方面，就是总产生事与愿违的结果。这些儿童很想要隐藏他们的行为，但是他们因试图隐藏所作出的努力而让他们的恐惧更加显而

易见。自我意识让他们觉得很痛苦，就像是自己被暴露于众目睽睽之下。当我们
处于大众的聚光灯下，成为众人焦点时，我们的焦虑会急速飙升，而对于患有社
交焦虑的儿童，这个聚光灯是随着自己移动的。没有后台，只有众目睽睽。儿童
无论是在车里交谈或者歌唱，还是在屋前的草坪玩耍，无时无刻不感觉到在被人
审视着。当他进入一种预期会搞砸的情境，他会每一个动作都小心翼翼，并最终
自己绊倒自己。如果他可以重新专注于社交互动和实践，并且一步一步地学习社
交技巧，他就可以在家庭以外的范围，同样感觉舒服自在，并且发现社交并不仅
仅是为了生存，有时候也是一种乐趣。

对于社交焦虑的儿童，最糟糕的事情莫过于其发展的恶性循环。从同伴那里
获得的负面信息，带给他们更多的负面影响，并导致一些切实的变化，这些变化
关系到儿童在朋友圈中的位置。焦虑的儿童正是由于这个原因而明显不受欢迎，
而不是强烈地不喜欢。这些孩子的社交地位被定义为消极的，被忽视的，因此和
他们联系的孩子就很少。他们可能感觉到自己的兴趣和其他儿童不同，这就造成
了一种社交回避。这种回避也严重干扰了他们的学业表现，他们看起来与同伴很
不同。他们在课堂上不敢举手，说话声音小，没有人能听得见，被叫到的时候表
现极其慌张，无论是根据儿童自己的认知，还是根据他与同伴们的交往历史，这
些情况对儿童都是一种毒害和摧残。如果不治疗，社交焦虑对儿童会产生毁灭性
的影响。有了学校和治疗的协助，儿童可以在学校预演成功，而不是每天重复遭
受失败的打击。这样一来，你就不会觉得奇怪，为何患有社交焦虑的青少年，会
有很多人拒绝去上学。

FREEING YOUR
CHILD
from ANXIETY　**焦虑心理学**
社交焦虑的危险信号

· 焦虑，烦恼，面对陌生人、陌生地方、陌生情境感到紧张。
· 非常担心他会在社交和表演场合做出令人尴尬和丢脸的事情。

- 即使是跟熟悉的人（亲戚、同学）也避免眼神接触。
- 说话声音特别小，或者压根儿不说话。例如，在饭店里不能够点菜、不能打电话，课堂上不能举手，甚至在需要做口头报告的当天得病。
- 在学校聚会和生日派对里躲藏自己。
- 在社交场合感觉战战兢兢，脸红、头脑发热。
- 对于外表、头发、衣服、脸有很糟糕的自我意识。
- 对其他儿童提出的社交建议反应迟缓，不能进行社交接触。
- 在午饭、休息、小组活动等松散时间，消失无影，而不是迎接挑战。

干预方法：降低风险，稳步取胜

治疗儿童的社交焦虑有三个主要步骤。第一步是赶走内部的恐惧。要完成这个步骤就要向儿童解释恐惧来自哪里，在大脑中到底发生了什么，然后在管理计划里表明自己的想法。首先儿童要挑战和回击消极想法，用更现实的、更合适的想法来武装自己。尽管对他人的行为及反应进行正确地解读，可以减轻社交焦虑者的身体症状，但是他们仍然需要第二个步骤，通过呼吸和放松来调节这些症状。第三步就是进行社交互动的练习，先进行角色扮演，再进行真实演练（见表8—1）。

表8—1　　　　　　　　　　社交焦虑干预方法总结

认知障碍	治疗方法
过度关注自我：像是用显微镜观察行为，并注意细节。	退一步，放宽视野；如果事无巨细地这样要求自己，任何人都会焦虑不堪。
对自己的行为有过多的思考。	简单化：一个问题并不是对应着一个正确答案（这不同于数学题）；每个人都有选择自己想法的权利。
对紧急情况、来自于其他人的批评和攻击时刻准备着。	通过调整呼吸、肌肉拉伸等方式重新回到正常状态，并再次聚焦到当前的真实情境中。

在适应练习的准备中，儿童可能需要重温一些技巧，例如：儿童要了解沟通通常都是相互的，学会一些技巧和"台词"让交谈可以继续。起初可以是眼神的交流，对某人微笑，向别人问好，或者给朋友打电话。一旦儿童决定开始尝试，他就需要通过很多步骤来练习，直到可以自信地处理这些情境而不恐惧。另一个需要指出的事情就是，很多儿童回避社交情境，导致其他儿童觉得他们冷淡、不

合群，进而不再找他们一起玩。

社交焦虑的心理辅导

针对幼儿。来到新的环境、见到陌生的人，每个人都会有些许紧张，就好像焦虑一直在我们身边嘀嘀地叫，并不停地说："这太吓人了，你不敢跟别人打招呼，不敢看任何人，你看起来很傻，这丝毫没有乐趣可言。"我们需要让焦虑平静下来，教导儿童，生日派对最初看起来可能很吓人，但是过不了多久，你就适应了，并且能找到有趣的事情做。让我们练习一些生日派对上发生的事情吧，如何跟朋友打招呼，如何做决定等。给焦虑点颜色看看，这里由你做主，你才是老大。

针对稍大些的儿童和青少年。虽然我们的神经系统对危险最敏感，但在当今世界，除了某些不确定，我们日常的环境和遭遇都是可预测和安全的。如果患有社交焦虑，那就另当别论了。当儿童站在教室前面，或者参加派对时，他们的大脑就发号施令，让身体和思维都准备好去应对各种威胁。站在你面前的男孩会咬掉你的脑袋吗？同学们会突然攻击你吗？这些想法听起来很可笑，但你就是因为这些而心跳加速、手心冒汗的。社交焦虑大脑的另一个故障是夸大事情的风险以及歪曲行为的结果。你生活在显微镜下，你的大脑分析你的任何一个细小动作，分析你说的任何一个字，透视你的每寸肌肤。生活在这种显微镜下，任何人都会紧张到说不出话来。就好像你要去学校，在你的随身听里播放着音乐，唱着"糟糕透顶了，你会出丑的，你做了件愚蠢的事情，人们觉得你是个怪人"。在治疗中，你将会学习如何制作一张新的大碟，这张碟里的歌词更准确、更适合、也更鼓舞人。

想法抉择

对你的行为和人们的反应要形成现实性的评估。

针对幼儿。有的儿童如果被嘲笑或是受到批评，会表达他们的恐惧，但是更多的儿童却产生不舒服的感觉（冷、混乱、害怕、尴尬）和社交焦虑（"我不知道该怎么做"）。由于这个原因，当我们给幼儿治疗的时候，可能要尽量少地去提及这些事情，而是更多地教会他们冷静地自我交谈以及其他处理策略，如准备好各个步骤的脚本，和家人在游戏中演练，也可以模拟生日派对。使用角色扮演和卡通式对话，儿童可以首先讲述他们的焦虑故事，然后反过来想想其他小朋友会如何面对，最后，找到渡过难关的方法。将明智的想法写在索引卡上，然后让孩子对着镜子反复演练，或者在参加活动前在车子里演练。

针对年龄稍大的儿童和青少年。在管理计划中运用各种比喻，儿童可以应用这些想法去纠正错误的焦虑，形成更多的现实性观点。让儿童尝试头脑列车的轨迹、透过焦虑眼镜和正常眼镜看东西、写出"如果……怎么办"和"还有什么"。问问你的孩子："什么是最糟糕的事情？如果这件事情发生了，你会怎么办？"鼓励他挑战恐惧。如果你说"有些事情很怪"，孩子可能会问"有外星人登陆地球吗"。你可以这样引导儿童："一个正在思考的人会如此胡乱地下结论吗？还是你的大脑正在给你传达错误的信息？问问你自己，如果你不焦虑，你会如何看待这个情境呢？"

情境：给朋友打电话

- 如果她不知道我是谁，怎么办？
  还有什么：她当然会知道是我。
- 如果她觉得我给她打电话很奇怪，怎么办？
  还有什么：通电话是很正常的事情，她会很高兴的。
- 如果我试着交谈的时候，搞得一团糟怎么办？
  还有什么：我可以把要说的话写下来，但即使我说错了，也没什么，我可以说"对不起，脑袋不灵光了"，或者说"换一个话题"。一般人都会犯错的，只要不错得离谱就行。

让儿童在索引卡上写下他观察焦虑时，态度积极或中性的自我交谈。他可以每天练习下面的话："这件事我可以做到，人们并不是时时刻刻盯着我的一举一动，慢慢来，给自己一个机会。自己觉得怪，并不意味着自己的行为怪异，事实上是焦虑在作怪。"

做好身体准备

患有社交焦虑的儿童，尤其是青少年，经常身体紧绷，很紧张。腹式呼吸（参见第 4 章）对他们来讲是一个立竿见影的解决方法，可以缓解待在其他人身边时引起的心跳加速，以及其他不舒服的感觉。通过常规练习、放松训练（参见第 4 章），他们的呼吸更顺畅，音量也增强，上身、脸和手的紧张感也改善了。

录音带、录影带，甚至镜子都是非常有效的工具，这些工具可以帮助儿童获取社交信息。这些信息可以来自于他们的身体语言，也可以是说话的语气。他们可以利用这些工具，看到自己微笑的样子，感受自己的不同表情，看到这些表情的变化。儿童可以参与各种活动，例如武术、瑜伽、戏剧，或者是舞蹈，这些活动都是很有趣的，可以让儿童对身体更有自信。

提高社交技巧

进行目光接触。年幼的孩子可以尝试着跟某人打招呼，并且报告这个人眼睛的颜色；可以让他们做下调查，数数看自己看到多少人有绿色眼睛、蓝色眼睛、棕色眼睛。通过这种方法可以知道他们进行了目光接触。年龄大些的儿童和青少年应该知道目光接触是传达喜好、替代表达的另一种方式。如果没有目光接触，人们可能会觉得你很害羞，或者会想知道你的这种行为代表粗鲁还是不感兴趣。如果你不想传达这样的信息，那么看他们的眼睛！

增强儿童的交谈技巧。鼓励儿童多听、多观察，看其他人是如何交谈的。提醒他交谈是一种互动，风险各占一半，他不需要为整个谈话负上责任。他可以倾听最基本的对话主题，了解交谈是如何开始和结束的，看看其他人用什么办法处理窘迫的沉默。你也可以给孩子其他建议：

- 对话就像是在电视上贩卖商品。通过你说话的语气，你可以暗示听众你讲话的内容很有趣而且很重要，例如："你看到校报上的卡通形象了吗？"
- 让交谈继续：谈一谈你自己的事情，然后以问话的形式抛给别人一个问题，例如：

"我刚看过艾迪·墨菲（Eddie Murphy）的新电影，你看了吗？喜欢吗？"

- 列一个简短的话题清单，当交谈无法进行的时候用，例如抱怨家长，议论学校、新出的电影或者音乐大碟，谈论即将推出的学校活动、假期计划、运动时的见闻等。
- 在舒服的环境中练习对话。可以与青年营中的其他儿童练习，也可以与家人或同伴一起练习。

│适应练习│

正如暴露疗法一样，不要着急，要预先准备出脚本，在可能的场景中上演，并且让孩子自己选择如何应对。写下儿童喜欢的话语，并且让他们对着镜子练习，或者是通过视频和录音带来练习。如果儿童已经准备好了，让他从头至尾地想象各种场景，在这个过程中可以做放松呼吸，并插入谈话，就像"我很好，我可以的，保持冷静"。在这些给定的社交场合中，放松和能力的结合就会代替以前焦虑和恐惧的感觉。如果想要进一步降低焦虑，可以加入幽默元素：儿童可以用角色扮演的方式，扮演最喜欢的卡通形象（"超人在这里会如何打招呼呢？"）。开始的时候用不同的声音来表现，是一个很好的暖场方式，这样儿童可以发现自己的声音。

习惯练习最好是和这样的一类人去共同完成，他们可能再也不会出现在儿童的生活中，就像是商店店员、熟食店员工或者是服务员。儿童也可以在电话簿上找到商店的联系电话，给他们打商务电话练习电话技巧。这些是合法的电话，而不是恶作剧，可以询问商店的工作时间、地点。鼓励儿童连续打几个电话，直到他们变得轻松自在了。他也可以听一听其他孩子的对话，可能是上课前对话、在餐厅或公交站的对话，然后汇总3到4个人谈论的内容。让儿童自己寻找谈话的主题，电影、作业、兄弟姐妹、老师等等，然后就每个话题想出两个观点。提醒儿童，如果他还没有准备好和其他人做口头的交谈，那么可以先努力降低自己在社交情境中的焦虑水平，调整他的呼吸，身体放松，练习一些非口头表达的技巧，例如点头、微笑。

家长要牢记，对儿童在交流方面作出的努力要给予强化，可以是口头表扬、物质奖励或者其他奖励方式。将交流的定义面拓宽：如果儿童原来总是转移目光，那么目光接触和微笑，也可以是交流的正确方式。在儿童找到处理问题的方法之后，不要和其他儿童比较，而是同他自己最初的基线水平比。

FREEING YOUR
CHILD
from ANXIETY **焦虑心理学**

针对幼儿的简单练习

- 在学校对着朋友微笑。

- 跟老师打招呼问好。

- 告诉老师一件新鲜事（周末计划、牙齿掉了、小狗吐了）。

- 在学校跟两个小朋友打招呼。

- 从家里带些东西，例如跳绳或者别的玩具，跟别人分享，这可以作为打破局面的好帮手。

- 邀请一个孩子和你玩游戏。

- 加入一群孩子，大家一起玩跳房子游戏。

- 在家接电话，在饭店里点菜。

年龄稍大儿童的简单练习

- 给商店打电话，询问他们的营业时间。

- 给图书馆打电话，问他们是否有某本书籍。

- 用电话预订一张比萨饼（征得家长同意后）。

- 在家里接电话。

- 在学校餐厅问一个学生时间。

- 课堂上举手问问题。

- 在某件事情上赞扬一个同学。

- 在便利商店亲自买一个三明治。

- 给同学打电话，问一下关于作业的事。

- 给同学打电话，约对方一起去看电影。

不要将社交焦虑偷换概念

当我们看到儿童在欢迎中退缩、不说话，或者对友好的问候不予回应时，我们通常都会解释说这个孩子很"害羞"。问题是"害羞"可以看作是一个角色，一旦儿童开始扮演这个角色，他就会将自己定位成"害羞"。儿童会陷入这个条框中。害羞的儿童就不想跟人交流，不想要适应社交生活吗？如果事情真的是这样，他们就不会感到痛苦了。事实的情况更可能是这样的：不擅长交际的儿童，实际上非常渴望交流，但是有些问题阻挡了他们的路。是什么样的问题呢？要么是他们不知道如何面对其他人，要么是他们假设会得到令人不快的反应，甚至一想到这个问题都会焦虑不安。面对这些问题，他们除了回避，没有别的办法。"害羞"同时也暗示了这个问题并不严重，虽然现在陷入困难，但是总有一天会好的。就像一位母亲说的："当人们用了'害羞'一词，就将这个问题最小化了。实际情况要严重得多。社交互动对于他来讲非常痛苦，他需要帮助。"

不要将社交焦虑的儿童看作是被害羞所困扰，而是要从一系列事件中，慢慢地找出头绪。当儿童在家庭聚会或者生日派对上看起来恐惧时，不要说"他很害羞"，而是说"哦，贾斯廷过会儿就跟大家一起玩了，他只是需要一点时间热身"。对于稍大些的儿童，试着找到一种方法欢迎他加入谈话，即使在他没有准备好交谈的时候："迈克尔是我们的思想家，你会惊讶于他说出的话。"为了帮助儿童跨过社交之桥，在参加活动之前就该确定，他首先跟谁打招呼会觉得最舒服，然后角色扮演，练习问好。不管从哪里开始，找到切入点，多加练习，准备好迎接挑战。

｜切忌急进，稳妥进取｜

尽管你可能会急着将孩子置身于社交情境中，但请耐心等待。儿童的过往，甚至他的想象中，都充满着社交失败、尴尬、丢脸的体验。你想要让他从失败的经验中恢复过来，那就要多强化成功的经验。从小处着想，鼓励儿童在某些方面更多地参与，并且降低社交情境中的回避。鲁莽地跃进可能会适得其反，要耐心、小步地进取，例如：儿童没有同伴，那就从跟别人打招呼开始练习。与其让他的社交之花凋零在萌芽状态，还不如让他妥当点儿晚些盛开。

|角色演出：另类好办法|

有些社交焦虑的儿童却获得一致的欢迎，因为他们非常善于表演，可以出色完成班级的戏剧表演和演唱会。他们在登台之前，可以将忧虑和犹豫抛之脑后。对于这些儿童，他们焦虑的是：会说些傻话、交谈中不知道说什么，或者被沉默窘住。一个剧本角色可以消除那些"未知"的困境，并且让儿童感到放松，他们知道自己已经记下脚本中"正确的台词"。事实上，有时参与班级表演，可以给青少年提供"群体"练习的机会，这种机会是很难得的。如果儿童喜欢表演，那么可以尝试这种方法。

焦虑的孩子

不爱讲话的朱莉

朱莉今年 15 岁，性格很温和，不爱讲话。她在幼儿园结识了一群和她相似的朋友，并且多年以来关系都很融洽。但是当她进入初中以后，朱莉开始在人群中迷失了。这是一个规模很大的学校，她想要去适应和融入，想要被关注，想参与到班级的活动中，但是当她想到要讲话的时候就紧张得不得了，心跳加速。一天天就这样过去了，她开始渐渐地被埋没，她责备自己没有自信，将课堂上的大把时间都用在尝试开口讲话上面。她对自己感到很困惑，不知道自己是怎么了，为什么身边的人瞎扯闲聊的时候自己不敢说句话呢？为什么这么简单的事情都做不到呢？

男女混校的时候，情况变得更糟了。朱莉感觉获得男孩的关注是很难的事情，她是一个过度敏感的人，觉得还是自己待着为好。在一些看似活泼又受欢迎的朋友的带领下，她有几次偷喝父母酒柜里的烈酒，并且非常喜欢酒后的感觉，她感觉很轻松，不用为那些想法而烦恼。作为一个诚实的好孩子，朱莉并不想就此事隐瞒她的妈妈，另一方面她也很害怕自己会成为酗酒者。尽管她感觉喝酒后轻松一些，没有那么多的烦恼，但是她又不相信自己。她想要更冷静，并且保持自控的状态。朱莉的妈妈后来确实发现了她偷偷喝酒的事情，当时很震惊，对于朱莉撒谎的事情也很伤心。幸运的是，朱莉的妈妈想要听朱莉说出这样做的理由。当朱莉告诉妈妈她在学校里有多么煎熬，在舞会中，看着周围的同学翩翩起舞，而自己却只能独自跳舞是多么痛苦时，妈妈彻底理解了女儿的痛苦，这种痛苦是很真切的，并且需要表达。

在治疗中，当朱莉了解到社交焦虑的情况后，感觉轻松多了，她知道了社交焦虑远不止是害羞，她所有的紧张感觉和困惑都是来源于大脑处理情境的结果，是大脑将情境中的风险估计过高，并且让身体作出了应对准备，才导致了这些感觉。她看到这种保护机制不但没有帮助她，反而阻碍了她，让她的行为不正常。她想要学习如何自己消除这种思维。她很努力地对抗自己的焦虑想法，意识到她并不是异类，是她的思维方式让她有这种错觉。她决定挑战一下，在别人交谈的时候也尝试讲话。她在家进行呼吸训练，并且在学校跟其他同学讲话的时候，也使用这种呼吸调整方法。当别人听不清自己讲话的时候，他们总是会问"你说什么"，这让她觉得很厌烦，为了克服这一点，她做放松练习，这样可以让她的声音听起来更清晰。她对着镜子练习，让面部放松，让上肢放松，这样不会看起来很紧张。在班级中找机会讲话，见到同学微笑，并且主动打招呼，这些让朱莉有勇气邀请其他同学一起午餐，甚至是交换邮箱地址，以便于大家在晚上上网聊天。

几周下来，朱莉进步很大。当她处于瞩目焦点的时候、在她请男孩跳舞或者在课堂上举手的时候，可能还会心跳加速，但是她已经不那么紧张了，并且可以很快自己冷静下来。她仍然能够感觉到以前的焦虑想法（"你会搞得一团糟的，你说话会让人笑话的"），但是她可以不费力地获取另一种想法（"你可以做到，微笑，这只是开始，一切会变得更容易的"）。现在，朱莉觉得更自信了，对她自己的能力有信心，上学不那么紧张了，能够更多地微笑。这一切都是因为她不再感觉自己站在舞台中央，一直接受众人的审视了，她认识到社交实际上是她生活的一部分。

选择性缄默症：无法表达的孩子

如果儿童在家可以正常交谈，但是迈出家门到学校，或者在生日派对上，无论你如何劝导，都一言不发，那么他可能患上了选择性缄默症（Selective Mutism）。善意的成年人可能会发现儿童语塞的矛盾，不难想象，焦虑儿童的大脑传递了焦虑信号，那就是在家是安全的，家以外的区域是危险的。儿童觉得讲话出糗会很窘迫（暂时不讲话后，儿童会变得越发害怕和恐惧），因此，出于自我防卫，他只在特定情境有选择地说话，在家里说话、在学校只与同伴或者老师说话，或者两者都不。对于一些儿童，这种情况一开始是纯生理现象，他们感觉怯场，哆哆嗦嗦的。对于另外一些儿童，这只是对于参与活动风险的错误假设，我们的任务是纠正这些假设，给予他们练习讲话的机会。如果不治疗，像社交焦虑的其他类型一样，选择性缄默症会让儿童变得更加衰弱。然而，通过系统的认知行为疗法，耐心地教导，儿童会越来越多地开口交流。

FREEING YOUR CHILD *from* ANXIETY **焦虑心理学**
选择性缄默症的危险信号

- 在某些场合不讲话，例如学校或者社交场所。
- 在家里或者其他儿童觉得舒服的环境中，可以正常讲话。
- 不讲话干扰到他的学习和社交的能力。
- 在某些环境中，儿童出现颤抖、僵硬如雕塑一样的状态。
- 不语症持续至少一个月。

|选择性缄默症的治疗方法|

与其他的焦虑症一样，患有选择性缄默症的儿童感觉不舒服，而且症状不会因时间而消失。儿童的成长伴随着越来越多的孤独、困惑和愤怒，形成自卑的感觉是不可避免的，他们每天都感受着这种自卑，以及来自于其他人的消极关注。他们很容易受到其他心理问题的影响。非常幸运的是，选择性缄默症的权威发言人埃莉斯·希彭 - 布卢姆（Elise Shipon-Blum）博士表示，经过适当的诊断和治疗，选择性缄默症的愈后效果非常理想。

FREEING YOUR
CHILD
from ANXIETY **焦虑心理学**

焦虑管理技巧

- 家长对于儿童不能言语的不良反应，要予以纠正。
- 教导儿童进行现实地、有支持性地自我交谈。
- 从目标情境开始进行系统脱敏，帮助儿童，让他们在学校感到自在。
- 积极地强化任何在目标情境中的接近交流的行为，例如：微笑、注视、演奏一种简单的乐器、目光接触、读脚本，最终自发地谈话。

｜环境适应｜

给儿童提供写字板或者是索引卡，在上面写上孩子日常生活中可能会碰到的问题。有时候，儿童可能会与一两个同伴讲话，但是不会跟老师讲话；在这种情况下，可以鼓励儿童将信息先低声传递给同伴，再由同伴告诉老师。允许在家中录制口头报告的带子。在学生感到舒服、可以接受的范围内，老师才可拜访学生。有时，回答他们的问题之前先给予一些警告，可以帮助儿童感觉自己正在参与，并处之泰然。

粘人包
从粘人、分离焦虑到恐慌症

对分离焦虑的观察：

我真的很希望妮琪是个快乐的孩子，但是每天晚上她都担心有人会死去，需要我安慰她。其他家庭也会每天晚上谈论死亡吗？这看起来有些不正常。

乔什 11 岁了，仍然和我们一起睡。我知道这是个问题。我一直觉得他已经足够大了，可以自己睡了。如果他的朋友知道他跟父母一起睡会笑话他的。这是因为恐惧吗，还是习惯？不管是哪种情况，我都不知道该如何帮助他。

对恐慌症的观察：

玛丽亚有天晚上过来，说她好像见到鬼了。她的这些奇怪感觉就好像她在演戏似的。她说她看着自己的手感觉很奇怪，她觉得这是别人的手；她害怕极了，都快要疯掉了。现在，她根本都不想离开我的视线，因为她害怕这种事情会再发生。这听起来像是惊恐发作，但是我不知道该如何跟孩子解释。

对于恐慌症的最难的事情就是它没有预警，突然来袭，并且焦虑程度直接冲顶，到达最高。作为家长，我不能放弃，我相信自己可以让她的恐怖感觉消失。我已经学会如果能让她集中注意与呼吸，只是关注呼吸，就可以让她回到最初的状态。

分离与恐慌

幼儿在 18~25 个月之间的某个阶段，开始学习爬楼梯，并且在庭院里到处跑。柔和的风从背后吹来，就在这时，一个很有趣的现象发生了，他突然感觉恐慌，想要找妈妈！这种急迫但是符合发展规律的分离焦虑是很必要的，对幼儿的生存很有帮助，可以确保他受到全方位的保护，但是这种分离焦虑几个月后会自动消失。幼儿练习在家里来回地走，尽管他跑开去追逐飞虫、朋友，或者跟奶奶去旅行，他都需要跑回到妈妈温暖的怀抱，他需要妈妈一直在那里等他。在接下来的几年里，儿童慢慢学会理解这种分离，开始追求自由，并且接受这种分离的考验，这也正是他们独立探索世界的自信的来源。尽管有些儿童较早接受这种分离，但是一般来讲，大多数儿童在 5~6 岁的时候可以成功接受这种分离。

相比之下，对于患有分离性焦虑症的儿童，在这个过程中却遭遇了障碍，他们并没有在这种分离中建立自信，而是体验了这种分离带来的痛苦。患有分离性焦虑症的儿童在没有家长陪伴的状态下，就没有安全感，甚至会为家长担忧。他们会担心，父母生病了吗？高兴吗？快要死了吗？太累了吗？痛苦吗？这些担忧占据了他们大量的时间。分离性焦虑症让儿童、家长都感到疲惫，两者经常相互牵制，寸步难行。

恐慌症在儿童中没那么普遍，它的特点是突增的焦虑，伴随着不可预知和不舒服的身体症状，患者会感觉头晕或者心跳加速，感觉热、疲惫或者眩晕，有的甚至感觉超然和不真实。尽管这些症状是完全没有损伤的，但是儿童并不能理解自己到底是怎么了。这些感觉让儿童觉得这是危险的信号，并且导致了突如其来的失控想法，死亡的恐惧令人窒息，甚至要发疯了。儿童开始害怕这种恐怖的感觉再次来袭（对恐惧的恐惧，或者说是对恐惧的不舒适感的害怕），为了能够安全度过（为了生存），他们开始避免恐慌可能发生的各种情境。他们需要待在家附近，觉得这样才是安全的，这看起来有点像分离性焦虑症，但是不同的是，患有恐慌症的儿童并不在意父母是否陪伴，他们的恐惧是来源于自身的。

这种需要父母或者家才能带来的安全感，是分离性焦虑症与恐慌症共有的，这也是为什么现有的理论假设分离性焦虑症是恐慌症的前期表现。分离焦虑多数出现在 7~9 岁，而恐慌症大多出现在青少年期及成年期。对此假设的进一步支持来源于成年恐慌症的研究，在患有恐慌症或者环境恐惧症（因为害怕恐慌来袭而不敢外出）的成年人中，有超过半数的人报告说在童年期有过分离焦虑。

从恐惧感到安全感

对于同时患有这两种障碍的儿童，他们每天都在担心自己是不是安全的。这些孩子总是绝望地问："我还好吗？"并且这问题并不涉及遥远的未来或者不久的将来，这问题只关乎当前。同时患有这两种障碍的儿童就好像在与一个猛兽摔跤，他们正死死地抓住对方不肯撒手。儿童感觉呼吸急促、眩晕、歇斯底里和失控，这些症状在社交焦虑障碍、广泛性焦虑或强迫症中并不常见。然而，这却是治疗恐慌症与分离性焦虑症的最大的不同之处。

患有分离焦虑的儿童需要忍受时间越来越久的分离，并且要训练一种新的思维方式，用"即使是只有我自己在，我也很安全"及"我独自待在这儿只是暂时的"来取代"妈妈不在身边，我很危险"。恐慌症的儿童要重新标示这些突如其来的身体症状，把它们作为错误的信号，并且学习重新设置他们身体的警报系统。要达到以上目标，身体上，需要加强呼吸和放松训练，心理上，要将恐慌信息重新标示为错误的警报，然后试着进入恐慌可能发生的恐惧情境，例如学校、购物中心、超市和电影院。

本章接下来的内容就要分别介绍这两种障碍症，了解思维错误和身体症状，找到建立安全感的方法，让儿童不仅在家里有安全感，在家庭以外的地方也感觉安全。头脑中掌握了这些方法，家长就可以惠及孩子，将安全重新送到孩子的生活中去。如果儿童同时具有两种障碍的症状，尽可能多地熟悉这些方法，会让你不至于手忙脚乱。如果儿童表现出了对分离的恐惧，或者因为身体症状（感觉头

晕或者发热）而没有安全感，那么你就可以告诉他们，这些让他们感觉很恐怖的
症状是没有伤害的，可以通过习惯练习来克服。

生命中不能承受的分离

有些儿童进入状态很慢，需要额外的劝说和时间去适应改变。尽管他们开始
的时候可能会黏人和格外小心，但是他们最终会从转变中获益。让孩子犹豫的不
是什么被留在了身后，而是出去会遇见什么。另一方面，有分离焦虑的儿童，在
他们想到分离的时候就会感觉痛苦，即使家长就在身边，或者刚刚离开视线。家
长和孩子的行动开始受到限制，孩子会跟着你到浴室，关注你的一举一动，每隔
几分钟就叫你一次："你还在吗？"孩子甚至会问一些无关紧要的问题，只为了得
到父母的回应，这样他们就可以确定家长在他们附近。有分离焦虑的儿童，即使
是他们想象出来的分离，他们对此的感知和体验都会是创伤性的。他们可能会感
觉临睡前的"晚安"就是永别，早上送他们上学，在学校分离的时候可能就是此
生的最后一面。

患有分离性焦虑症的儿童无法适应也受不了这种分离的压力，他们对于分离
风险有过高的估计，认为那是跨越不了的坎儿，同时又低估了自己的处理能力，
认为只有跟家长在一起才有安全的感觉。有时候真实的创伤经历会让儿童对安全
感和将来的生活缺乏自信，例如母亲生病住院、他们自己生病住院，或者面临一
系列的应激源，如祖父母去世、家庭成员生病、车祸等。还有些儿童生来就有一
个一触即发的警报系统，这个系统对于突发的应激源特别敏感，让他们无法承受
分离带来的痛苦。

有分离焦虑的儿童一边试图要减少自己的坏念头，同时又感觉到他们要跟父
母分离或者失去他们。这是控制不了的，剩下的只有绝望。问题是当一个人感觉
到危险或者绝望的时候，他是不可能觉得安全的。这两种感觉是完全相反和对立
的。家长陷入了困境：他们想要给孩子安慰，但是发现无论怎样坚持看上去也是

徒劳的；他们想让孩子更加独立，但是这在孩子看来就是抛弃，孩子反而盯得更紧。真的很难用词语来形容这种由爱生出的痛，和对抛弃的恐惧。萨拉是我的病人，今年 12 岁，她发明了一种说法来描述这种折磨人的感觉，当她感觉被拒绝或者感觉绝望需要拼命抓住父母的时候，父母却选择远离，"这简直是酷刑"。

让儿童从分离焦虑和恐慌中解脱出来，这需要你明白一件事情，那就是儿童对分离的这种感觉是身不由己的，这不是儿童的错，你可以通过强化的方式跟他强调他是安全的。大脑在跟儿童耍把戏，让儿童满脑子都是跟父母永别是多么糟糕的事情，并操纵他的感觉，让他感到非常可怕，同时阻止有用的真实性信息传达出来，那就是这种事发生的可能性很小。任何人在听到关于分离的这个版本的故事后，都会变得很黏人。解决方法不是更多的安抚，而是把这件事情换一个说法：关于"分离就是永别"的说法是不正确的。重新标识这种体验："大脑虫"认为这是永别，那是因为它不知道"再见"的意思；我们要教给它"再见"的真正含义！一旦关于分离的新的健康大脑环路形成了，那风险就会大大地降低，儿童和家长就可以开始练习成功分离的过程。想象一下，通过教会儿童处理分离，教会他如何将恐惧转化成自信，每天 2 次，一年 365 天，持续 18 年，那就是 13 000 多个成功的转变。还有什么比这个工作更让人受鼓舞呢？

分离焦虑的危险信号

以下的症状中，有某些症状持续出现至少 4 周，并且对孩子和家庭造成影响（不能入睡、上学、上班），则可确诊为分离性焦虑症。

FREEING YOUR
CHILD
from ANXIETY　**焦虑心理学**
危险信号
· 对于真实的和想象的分离感觉异常痛苦。
· 对于分离表现为哭泣、黏人、愤怒、呕吐。

- 做有关父母的噩梦。
- 对于离开家和离开父母，表现出不情愿和拒绝。
- 频繁检查、反复确认自己爱的人是否安全。
- 无法自己独处在一个房间，或者不能跟父母在不同楼层，会对此感到极不舒服。
- 在家里不停地呼叫父母，以此来确定他们的行踪。
- 频繁往家里打电话，或坚持认为：当孩子出门时，家长要待在家里。
- 在自己的床上入睡困难，或者无法入睡。
- 就学困难，频繁往家里打电话，经常出入护理员的办公室。
- 不能参加表演、实地考察活动。
- 希望父母各自驾车，作为安全预防措施。
- 可能会报告他们的不寻常经历，例如觉得总有人盯着他们看，或者自己待在屋子里感觉不舒服。

干预方法：三管齐下的分离训练

｜认知：想法改变，感觉（行动）随之而变｜

治疗分离性焦虑症的第一步就是循循善诱，教儿童重新标识大脑传来的错误信息。儿童要了解自己接受大脑信号的指挥，但有时信号是错误的。很少有人会愿意跳下悬崖，但是如果我们知道这其实只是一个马路边，那一切就不同了。

可以通过增加现实性的想法来改变这种情况，在我们介绍过的管理计划中有很多这样的干预方法。针对幼儿，家长可以重新标识焦虑为"小气鬼大脑"耍的把戏，然后用角色扮演的方式，让孩子给大脑讲授新课：儿童不需要担心，家长很快会回来，坏的想法只会让孩子感觉更加害怕，不会使坏事变成真事。通过角色扮演及勾画分离的图画，在做分离准备的时候，儿童就可以用勇敢和智慧的语言来对此进行排演。稍大些的儿童可以想象一下，如果他们不焦虑，那么情况会如何呢，他们会如何看待相同的情境呢？列一个属于他们自己的"如果……怎么办"的清单，并将它与"还有什么"相对应，然后通过头脑列车的不同轨道来看待分离。

儿童也可以确定大脑在玩哪一出把戏：看一看"有多可怕"和"有多大可能"的对抗，或者是聚焦感觉，而非事实。在第4章中描述过的想法-可能性融合，它是分离性焦虑症另一个常见起因：如果我在想救护车，那就意味着我的父母要发生意外。帮助儿童认识到，出现这样的想法并不意味着事情发生的可能性就变大了。

FREEING YOUR
CHILD
from ANXIETY **焦虑心理学**
发号施令的谈话

· 我只是想象到坏事的发生，这并不代表事实。
· 我的家长很好，他们总会回来，所以不要再打扰我！
· 我知道分离是怎么回事！这只是小风险，现在不是要我跨过一条河，而是跨过水坑，不要把这事情看得这么严重！
· 我的朋友不想让任何坏事发生，但是他们就不会一直担心这些问题，所以我也能做到！
· 不要让我为可怕的事情做准备，正在发生的最糟糕的事情就是听你摆布！

生理学干预方法：神经系统的限制

让行进的列车减速行驶。患有分离性焦虑症的儿童可能瞬间情绪失控。越来越多的分离信息向儿童发送过来。患有分离性焦虑症的儿童很难控制情绪，因为跟正常儿童相比，患病的儿童神经系统发送了更多的痛苦信息。有时候哭泣可以帮助一个孩子度过困难情境，但是通常情况下，对于患有分离焦虑的儿童，哭泣只会让事态更严重。当他们看到自己崩溃瓦解，这样会加速他们的失控。因为失控对任何人来讲都不是好事，治疗师、家长和老师需要耐心指导儿童，让他们慢慢平静下来、慢下来。你可不想透过泪水跟孩子强调事情的恶化程度。可以像这样谈论事情："再过几分钟，当你的呼吸均匀了，平静下来了，你就能感觉好点了，然后我们可以谈论一下这件事情。"或者说："握着我的手，和我一起呼吸，这样我们就可以开始谈了。"更多的应对技巧还包括教会儿童如何进行气球呼吸法（参见第4章），这种方法可以让上升的焦虑慢慢缓和。可以鼓励孩子在挑战情境中使用呼吸技巧，例如独自入睡的时候或者去上学时（见表 9—1）。

表 9—1	分离性焦虑症儿童的应对技巧
声音	当你准备好了，试着用正常的声音来告诉我；不要哭了，慢慢停下来；等你平静下来，你再解释，不用急着现在说。
呼吸	让你的呼吸缓慢下来，跟我一起呼吸，握着我的手，看着我，一起按照气球呼吸法去做，使用一个纸袋慢慢地往里呼气、吸气。
身体姿势	让儿童坐在椅子上，试着让他握着你的手，而不是粘着你，或者躺在地板上。
思维	让孩子适应家长，让他知道自己并不危险，如果她能够冷静待着，恐惧的感觉很快就过去了。你的思维只是给了你错的信号，让你觉得不安全；如果关掉这些警报，事实上你仍然很好，这些感觉都会过去。

行为干预方法

一旦你建立了更真实的分离和团聚的画面，儿童就准备好实施他的新信仰。儿童需要很多的习惯练习，并且需要熟练掌握技巧，当他们可以处理分离情况的时候，他们就获取了自信。被困在家里几个月甚至几年的无措的家长们，你可能尝试着定周末远足的车票了，但是有一点非常重要一定要记住：为了取得持续的成功，起初的微小进步是很必要的。下面将要介绍行动指南，为幼童和年龄大些的儿童举例练习。

分离焦虑的行动说明书

- 建立分离的等级，从易到难，参考恐惧测试计的指标作为标准。一定要记得，对于分离的理解仁者见仁，智者见智：问问你的孩子，他准备好从哪个步骤开始挑战了。尽管我们的目标是延长家长和儿童成功分离的时间，要完成这一步，更好的方法是让家长离开的时间加长，而不是让儿童离开的时间加长。如果儿童可以继续待在家里熟悉的地方（和姐妹一起），那么他只需要应对分离的挑战；如果他走出这个熟悉的地方，那么他要面对的除了分离还有新的情境带来的一系列问题。看一看第 5 章中的焦虑均衡器插图，参考一下不同因素的影响来计划孩子暴露的时间，例如每天的不同时间段、对环境的熟悉度。这样你指定的挑战列表就可以通过学习阶梯的方式，一步一步攻克了。

- 切记攻克夜晚时间的情境是最难的；首先要很认真处理白天的分离情境：白天的经

验可以让孩子有信心去面对晚上的挑战。

- 准备好发号施令的谈话。儿童应该有一套"索引卡"来提醒他如何思维。（例如：这没什么，不要总想着事情有多可怕，想想这种可怕的事情不太可能发生，妈妈爱我，她很快就会回来，"焦虑虫"赶紧走开！）

- 用角色扮演的方法，排演一下，当家长离开的时候，孩子会怎么说、怎么做。然后转换角色，让你的孩子扮演家长。家长可以通过孩子的表演，看到孩子想要的反应，并从中得到启发。

- 玩得开心，就会感觉时间过得特别快。在分离暴露的时间里，给孩子列一个活动时间表，愉快地打发这段时间。即使是青少年，也会从这样的安排中获益。"如果你不感觉紧张或者焦虑，这段时间你会做些什么事情呢？"

- 使用贴纸图表，来跟踪儿童的每一个进展，将这些进步在表格中标注出来。对于年龄大些的儿童，可以使用分数交换的形式，一定的分数可以交换更多的上网时间、一张音乐大碟或者其他的奖励。

习惯训练：幼儿（4~7岁）

- 制作一本"再见手册"，在家长离开或者儿童去幼儿园的时候可以阅读。让儿童绘画和叙述故事。故事的开始是儿童跟家长说再见；中间情节是家长离开后，儿童做自己的事（玩游戏、画画、读书）。如果儿童感到焦虑，会对自己说什么呢（"妈妈总会回来的，嘘，快点离开吧，焦虑虫"）。故事的最后一页是全家大团聚。

- 如果父母离开，儿童要做些什么呢，可以画一幅画或者列一张物件清单。儿童可以给物件画插图，或者描述这张清单。

- 在角色扮演的时候，可以将想到的画下来，可以为孩子制作一个勇敢语录，在他感到害怕的时候用。

- 练习短暂的分离。

- 让再见变得简单和甜蜜（参见本章后面的内容）。

- 模拟再见的场景。让儿童扮演家长的角色——你将听到儿童在这种情况下最想听到的话。当你扮演孩子的角色时，不要表演得太过夸张，这会吓坏孩子，让他们困惑的。

幼儿的简单层级训练

在家里要尽量变得独立

家长要同时致力于两个因素：增加孩子与家长的活动距离，增加孩子独立参加活动的时间。

- 让儿童坐在家长身边，而不是坐在家长腿上。

- 让儿童参与到独立的活动中去而不是群体活动，例如阅读。

- 儿童跟着家长到浴室，但是到此为止，儿童只能坐在门外，可以读书或者画画。

- 妈妈离开房间去洗衣服或者打电话的时间，逐渐增长。

- 儿童离开妈妈做一些简单的事情，并且在家里不同的地方完成，例如收拾玩具或者书籍、换上睡衣等。

在家庭以外的地方变得独立

- 家长出去取邮件，孩子待在家里忙自己的事情（在监督之下）。

- 白天，家长外出的时间逐渐延长。

- 晚上，家长外出的时间逐渐延长。

- 儿童和妈妈玩游戏：先在同一个房间玩，之后在分开的房间玩。

- 妈妈离开游戏（或者生日派对）的时间逐渐延长。

- 儿童独自参加游戏或者生日派对。

在上床睡觉的时候变得独立

- 家长要增加与孩子之间的身体距离，家长躺在床上，让孩子坐在床上、坐在地板上、坐在门边，最后到门外去。

- 减少上床睡觉前在屋里相处的时间，家长可以每隔一段时间去看看。

- 强化儿童上床睡觉的行为。

│习惯训练：年龄稍大的儿童及青少年│

- 列出一些"挑战任务"，例如去别的房间，然后去别的楼层取东西等等。走着去完成任务，而不要跑。如果儿童还没有准备好独自去完成这个任务，可以让兄弟姐妹陪着，或者家里养的小狗陪着。

- 增加在学校的时间，减少往家里打电话的时间。

- 在上床睡觉的时间，形成习惯，让家长去看孩子，而不要让孩子找家长。对于7~10岁的儿童，给他们设立一个特殊的邮箱，让他们写日记或者给妈妈留言，以此来代替呼唤妈妈。

- 使用第 5 章中提到的焦虑均衡器：找到儿童可以承受的场景，在白天或者好天气时去朋友家等等，增加在朋友家待的时间，包括晚上的时间。

年龄稍大儿童和青少年的简单层级训练

- 孩子待在家里，家长待在外面的庭院里。
- 当家长在家附近散步的时候，孩子在家待着。
- 下午的时候孩子去朋友家，而家长待在家中。
- 让孩子在朋友家待到晚上 7 点，家长待在家中。
- 让孩子白天的时候去朋友家玩，家长不在家，但是儿童知道家长所在的地点。
- 让孩子在不知家长去向的情况下，去朋友家玩。
- 让孩子在朋友家，直到晚上 10 点。
- 让孩子在朋友家过夜。

不再粘人：自信而健康的分离

任何家庭都不愿意看到家庭成员承受分离焦虑的痛苦，但是令人欣慰的是，不管是家长还是孩子都可以引领事态的改变。儿童可以尝试上面提到的各种挑战情境，家长可以确保给孩子创设合适的分离练习的机会。有很多家长在经受了孩子长时间的分离性焦虑症的历练之后，会形成一种默认的言语："我不能去参加派对，我女儿不会让我去的。"要将你的反应转换成更有策略的方法。问她这样的问题："我们怎么做能让你感觉这事情会简单些呢？你准备好从哪部分开始挑战了吗？在我们离开后，你想做什么呢？"你一定要认真对待孩子的痛苦，并且投入自己的感情，制订计划来帮助孩子从痛苦中解脱出来。家长不要急于实施拯救方案，反而要耐心劝慰儿童，那样孩子就可以有机会想清楚自己可以怎么做。就好像把孩子送到保姆或者学校那里时，孩子大哭，制止孩子哭泣的方法是家长离开，而不是待在孩子身边。

有时候家长自身也有分离焦虑。如果是这种情况，将本章教授的方法先用在自己身上：你独自待着的时候都在焦虑什么？你想用怎样明智的方式来代替这种焦虑方式？如果因为你自身的分离焦虑，导致你无法跟孩子清楚地表达这些问题，那么及时去寻求帮助。这样，你和孩子都会从中受益。

│如何让儿童自己睡觉│

很多患有分离恐惧的儿童，都很难在自己的房间睡觉。他们可能会睡在父母的床上，或者在父母的房间放置睡袋，有的甚至在父母房间外搭起帐篷。有个孩子叫凯莉，今年 8 岁，我们为她绘制了一张从她父母的房间到她的房间的路线图，这些路线被分成了几个部分，由凯莉决定每周的进程，逐步地完成。这个线路图可以帮助凯莉尽可能地挑战，让她感觉这是可以掌控的，第二周凯莉来到我的办公室，告诉我说她已经可以回到自己的房间了。并不是所有的儿童都有如此强烈的渴望，但是家长可以期待孩子早晚有一天会自己睡的。关于夜间恐惧的特殊治疗方法将会在第 13 章中介绍。

│这是可以控制的吗│

儿童不会尝试着控制，只要是自己认为好的事情，他们从不会主动说不，主动叫停。当儿童在床上躺了 45 分钟的时候，当每天早上你们在幼儿园徘徊半小时的时候，儿童不会提醒你：专家说这样是没有好处的，专家说简短地、坚定地说"再见"要比冗长乏味的拖延时间好得多，这点家长要清楚地知道才行。如果你总是给孩子 45 分钟的适应时间，你的孩子永远也没法进步，他们永远也不会知道自己可以用 5 分钟搞定这种状况。

彻底改变：不再粘人，倡导自信和健康的分离

- 尽量在早期就找到一种合适的说"再见"的方式。不说再见就溜走的行为要坚决杜绝，孩子并不擅长追踪。这样不利于他们建立自信和信任。多给孩子鼓励，耐心劝导，这样他们可以记得你的笑容，而不是你溜出去的身影。

- 当你说"再见"的时候，不要火上浇油，不要说"我也希望可以不用去上班，我会一直想你的"，用另外一种表达方式，例如："刚开始都是很困难的，但是恐惧的感觉不会一直存在。当我下班回家，我们就可以开开心心地团聚了。我们可以好好谈论一下一天的见闻。"

- 在家长离开之前，要将孩子转接到其他成年人那里（如老师），或者让孩子参与到其他活动中。

- 对于新情境要表现出积极和欢欣鼓舞的态度：帮助儿童用慧眼去看待事物，发现新情境中的趣味。
- 制造机会让孩子练习短暂的分离。
- 利用过渡物品，让新情境中带有家的气息，例如家庭照片、拖鞋、儿童喜爱的零食、书籍等等。
- 为了配合儿童的习惯练习，家长可以短暂地外出，家对于孩子来讲很熟悉，这样练习的效果要优于让孩子挑战外界。
- 永远都不要开玩笑说，自己不会再回来了，也不要因为孩子表现不好，就说让警察来把孩子带走。这些话，尽管看似轻描淡写，但是对焦虑易感的儿童来讲，却是毁灭性的。可以对好笑的事情开玩笑，千万别对引起恐慌的事情开玩笑。

> **FREEING YOUR CHILD** *from* ANXIETY **焦虑心理学**
> **家长必备的分离焦虑注意事项**
> - 记住：你的孩子患有分离性焦虑症，需要更多关于分离的练习。
> - 经常进行短暂的分离训练，这样的效果要好于那些更高难度的偶然分离。
> - 训练孩子的思维方式，让他们可以将感觉和想法直接分离。
> - 不要让孩子一直盯着门看，等你回来，可以在这期间为孩子安排一些活动。
> - 尽量让你的再见表达得简短而甜蜜。你的勇敢和自信的表现将给孩子带来安全感。如果跟孩子待太久，会让练习进程中断，只要将分离的时间一点点延长，儿童就会开始处理这种分离了。

行为准则

- 注意你自己的情绪，要勇敢。儿童会将你的表情作为线索，如果从你的表情看出你很痛苦，那么孩子也会变得很悲伤和恐惧。
- 让再见的情境变得简短和甜蜜。记得让你的孩子适应几分钟的分离过程。
- 不要悄悄地溜走，向儿童展示告别，这也是一种控制方式。
- 如果儿童不让你离开，不要生气。试着将情绪温度降低，只是坚定地说你需要现在离开。
- 在你离开之前，安排你的孩子参与一项活动。
- 事先告诉孩子，你会和孩子待多久，然后遵守时间约定。

- 将再见看成是一个有创造性的、共同经营的时刻。制订一个简单的再见程序，让彼此可以有时间去享受这个过程。

- 当制订分离的层级训练时，一定要考虑到不同的变量，例如一天中的时间、家长的接近、对环境的熟悉度等等。

- 不要低估了儿童挑战分离任务的难度，而设定过高的目标。坚持按照分离练习的等级进行。如果家长出外旅行，或者在晚上睡觉前回不了家，家长要打电话或者留下便笺。制作一个特殊的日历，用文字或者是图片来显示父母的归期。为孩子设计每天参加的各种活动，让时间飞快流逝。

焦虑的孩子

粘着妈妈的莉娜与无法入睡的伊莎贝拉

莉娜是一个患有严重的分离性焦虑症和恐慌症的孩子，严重到不能参加学校组织的实地考察活动，甚至在家里不能让家长离开她的视线。她不能去朋友的家，当家长离开，只留下她和保姆的时候，她会觉得异常痛苦。她不想让父母同坐一辆车，她觉得如果发生事故，父母两人会同时遇害。

在治疗中，莉娜了解了恐慌和分离焦虑，并且能够重新标示自己的想法，将原来可怕的想法命名为"毛毛怪"，她用"聪明女孩"与之对抗。在治疗过程中，莉娜开始尝试着挑战小的风险：走路去学校；尝试着自己待在家，而父母在家附近散步；降低对再见的抗拒程度和时间。她正在进步，但是仍然面临着一些问题。

有一天，莉娜的妈妈跟她说要去市外参加一个为期一周的洽谈会。她的妈妈已经做好了攻坚的准备，知道对于莉娜来讲这很难接受，但是结果却出人意料。莉娜说："妈妈，你去吧，我知道这对你来说很重要。"就在一周前，莉娜还无法接受妈妈离开一个晚上的事实，而现在却情况大逆转。可以确定的是，对于莉娜来讲，她有不想让妈妈走的一面，毕竟妈妈留下来对她有好处，而真实的莉娜却决定让妈妈去，她想让妈妈做自己想做的事情。对于正常的孩子来讲，这种分离可能也会觉得有些困难，但是莉娜成功地渡过了这一关。不仅如此，她还开始尝试变得更加独立，在城里独自搭火车、去教堂的主日学校、去朋友家。她已经开始了属于她自己的生活！

7 岁的伊莎贝拉一直和家长一起睡。抛开其他的困难，单是这一点就让父母很头疼，他们没法在晚上做任何事，也不能有任何安排，甚至不能单独相处。伊莎贝拉已经开始接受治疗。她仔细聆听关于"焦虑气泡"和"开心气泡"的说法，并且可以成功地应用这些方法，参加学校的实地考察活动。

有一天，我们讨论着用学习阶梯的方法让伊莎贝拉独自睡觉，她听后哭了。事实上，她妈妈说，在那次谈话后伊莎贝拉难过了 3 个小时。她对于要改变的想法感到恐惧，她甚至不能想象这个过程，无法想象父母在睡觉的时候慢慢远离她，这场景让她觉得很害怕。想到伊莎贝拉恐惧的反应，家人甚至要放弃这个治疗计划，但是接下来发生的事情让他们很震惊。在我们谈话一周后，伊莎贝拉自己说："让我们尝试塔玛说的计划吧。"在一个月里，伊莎贝拉实现了 7 年来的第一次独自入睡。看到自己逐步取得的成绩，伊莎贝拉想要向进一步的成功挑战。她的父母也从中总结了经验，不要被伊莎贝拉最初的抗拒所吓倒，因为除了这种抗拒，他们还看到了她想要摆脱焦虑的心。他们继续为伊莎贝拉制造攻克焦虑的机会，并让她获得自信。她的父母不仅重新拿回了晚上自由支配的时间，伊莎贝拉也获取了自信心空前的增长。她将要独自去参加生日派对和学校实践活动，并已经多次在朋友家过夜。她还准备好去参加露营活动，虽然她并不认识活动中的任何人。这些都是她过去永远都不会做的事。克服夜晚的分离焦虑，为她打开了另一扇更广阔的自由之门。

恐慌：对恐惧的恐惧

恐慌症是最难控制的焦虑症之一，因为它没有可以避免的特定的引发情境，并且受到惊吓攻击的可能性无所不在。对于家长，恐慌症是最难理解的障碍，不只是因为恐惧的目标难以确定，还因为其发作经常是在异常平静的时候。在惊恐事件中，儿童是歇斯底里的状态，他们断然地拒绝去任何地方，因为担心会碰到恐惧的情况。当缺乏理由的时候，儿童会感觉尴尬、愤怒，除了恐惧什么也不能做，他们感觉像死一样难受，只想回家。

惊慌的发作可以被描述为神经系统在训练，模拟攻击。就好像遭遇攻击时人的反应一样，交感神经系统准备自我防御并且制造恐惧的感觉，虽然这是没有伤害的，但是会伴有眩晕、心跳加速的身体症状以及不真实的感觉。在第 4 章中，我们看到过关于这种生理学症状的合理解释，就是让身体准备好进攻还是逃跑。但是当他们毫无理由地激增或者逐渐升级的时候，人就会感觉极度恐惧。问题是当这些模拟出现的时候，神经系统并没有提醒儿童这只是测试。如果大脑可以通知这只是"战或逃"训练，那么儿童就可以重新标示这些身体症状的激增为错误的警报，从而不会被这种危险吓到了。我们并不知道是什么引起恐慌发作，但是其中一个因素可能是遗传学方面的，有些儿童对于"战或逃"反射的阈限低。

FREEING YOUR
CHILD
from ANXIETY **焦虑心理学**

危险信号

- 跟任何特别的焦虑或恐惧情境无关的、突然出现的、无法预期的激增恐惧感。
- 激增的身体症状：身体过热、眩晕、心跳加速、有超然或者不真实的感觉。
- 恐慌突然发作，并在 10 分钟内达到最大值。
- 在第一次恐慌发作后，儿童不敢到家以外的地方去冒险，因为害怕遭到另一次恐怖袭击，并且会避开上次发作前后的诱因及地点。
- 儿童表现出被死亡的恐惧所控制，不能呼吸、失控、极度沮丧，或歇斯底里。

对于没有亲身经历过恐慌发作的家长来说，他们很难理解误读信号会导致何等的混乱。想象一下，这就好像是当你开车的时候，突然仪表盘上某个不熟悉的图标开始闪烁。这时候该怎么办呢？你应该靠边停车吗？接下来又该怎么做呢？会有什么糟糕的事情发生吗？经过查找，你知道这个信号灯是在提醒你车灯坏了。在知道这个故障之前，你可能会心跳加速，担心这个信号可能意味着你的引擎会在高速路中途燃烧。就像是电影《四眼天鸡》（*Chicken Little*）中，在小鸡童年时，有一个木棍掉到了它的头上，它认为是天塌下来了。我们在缺乏明确的信息的情况下，都倾向于误解信号，过早下结论。有的儿童可能会认定一种"不好的感觉"，还有的可能会为一个从没有过的抽筋而感到害怕，他们可能会感觉过热或略感脱水。他们认为事态是危险的，而且对这些症状的解释也引起了恐慌的加剧。

另外，恐慌的生理感觉是很不舒服的，儿童会有一种陌生的认知体验，这种体验像是从他们的身体分离出来的，让他们感觉像是在观看电影，而不是真实的生活。通过学习，儿童了解到恐慌会令人害怕，但是却是百分百无伤害性的，儿童可以停止这种连锁反应。"这只是我的心跳加速而已，没什么问题。是某些原因引起了错误的警报。我的身体正在检测自身的应急反应。这对我是没有伤害的。如果我能够减慢心跳，并且告诉我自己这是恐慌，那么它就会很快过去。如果我不平添这种恐惧的刺激，那么这种刺激感会逐渐消失，我就会回到平常的状态中。"

终止恐慌：安装开关，拿回控制权

指导儿童了解恐慌的工作原理，他才能保护自己不惊慌失措。恐慌的治疗方法包括教授儿童大脑的奇特构造，就好像一个机械师会提醒你关于汽车的复杂细节。当儿童学会了各种信号的含义，了解了当身体的功能按钮被启动的时候，会发生什么，以及如何让它们失效，他就会知道那些不舒服的感觉根本不是危险的信号，并且有自信让这种感觉消失。因为家长看到自己的孩子处于这样的状态也不能安心，他们迫切地需要学习恐慌的运作原理，以加快恐慌感觉的失效过程，以此来代替儿童对恐惧的认知。

对付恐慌的最有效方法就是有意识地控制症状。如果你可以让同样的感觉发生，那么就像是安装了一个开关，你可以通过开关来控制这种感觉，将开关开启，然后再关掉。通过这种方式儿童能够学会这并不危险，并且可以控制。恐慌其实就是我们在寻找，对危险感觉的一种外部归因，这种解释被添加到恐慌当中，但实际上它根本不存在。一旦你知道了这个秘密，你就可以控制你的反应，教导你的大脑正确地去解读信号。青少年可能看到过相似的情景，那就是面对电脑死机的时候，对电脑一窍不通的家长的反应。家长们感觉恐慌，害怕失去所有的数据，甚至系统崩溃，但是青少年可以自信地正确解读这些信号，往往只要简单地重新启动就可以解决问题了。因为儿童知道电脑情况是完好的，他们甚至会笑话他们的父母，在这种状况下反应过度了。儿童需要懂得：恐慌实际上就相当于系统失灵。呼吸调整、自我交谈和集中注意就是我们所说的重启系统的方法。

这个关于恐慌运行的模型将会帮助儿童拿回控制权，让他们意识到自身并未处于险境。恐慌的感觉是肾上腺素系统不必要的兴奋导致的，这种不舒服的感觉在受到控制几分钟后，才能消失。但是它就像是飞机减速，要等到所有引擎都熄灭才行。对于青春期前的儿童和青少年，这种极其令人恐惧的感觉简直让他们发疯。他们既感觉到身体的高度紧张，同时也感觉到超出生理反应的令人神经错乱的感觉。要让孩子学会直接将这种感觉标识为：这是普通的恐慌。儿童担心自己成为精神病或者精神分裂者，他们想象这两种感觉可能是相似的。而精神病或者精神分裂这些障碍，严重而痛苦，不像恐慌症会突然发作，它是慢性的、累进的。幸运的是，精神病或者精神分裂是可以治疗的，但与恐慌发作没有关系。

|学习控制恐慌|

如果引发焦虑症状是为了试着减轻它——这看起来似乎违反常理，但是你可以将它想象成一种刻意的环路破坏——这样你就可以学会进行反推，而不会一直在黑暗中感到无助了。当儿童亲眼看到了恐慌症状可以模仿，他就会相信这些症状是没有伤害性的，并将恐慌发作消灭在萌芽之中。因此，在治疗中，儿童将模拟这些症状，并且练习不被这些"假动作"影响，用平静的呼吸和现实的、反恐慌的思维去面对。接下来就是关于"制造"恐慌症状的秘诀。在尝试进行这些练习之前，儿童必须要学会如何进行腹式呼吸，这样他们才可以在暴露疗法之后恢复平静。腹式呼吸可以参见第 4 章的详细说明。

儿童应该知道他们可能无法一开始就阻止恐慌发作，但是他们可以制止它，并且让它变得简短。这种短暂的发作，可以让儿童体会到，即使恐慌发生，他们也有能力制止。这个过程让儿童觉得更加安心和舒畅，远远好过在不恐慌的阶段，却一直想着下次恐慌发作在哪发生、如何应对。这些模拟训练让孩子获得了"眼前一亮"的惊奇体验：当你头晕眼花的时候并没有不好的事情发生。症状并没有继续升级，你也没有发疯，你只是感到头晕，等感觉过去就好了。换句话说，儿童将体会到自己没什么可怕的。

当儿童按照恐慌秘诀练习的时候，他可以使用呼吸调节和思维应对，这两种方法有助于感觉的消失和恐惧的驱散。你还可以教导孩子说"停，这是恐慌！"，然后集中他的注意力在周围的环境上：他看到什么颜色，感觉到什么质地，闻到什么气味。如果儿童开始体验真正的恐慌发作，那么在恐慌的标志刚出现时，应用呼吸调整、思维应对、集中注意技巧是最有效的。与其他障碍不同，恐慌可以在几分钟内急速地升级，因此立即干预是必不可少的，不要给恐慌可乘之机。儿童需要准备好识别出他们特别的警报标志。可以给幼儿一张关于身体的"地图"，在他们感觉发作的时候，可以在图上标出感觉异常的部位。年龄大些的儿童可以想想过去的发作，找到他们最先发现的症状（见表9—2）。

表9—2	恐慌症状的模拟秘诀
恐慌症状	**模拟的秘诀**
头晕	尝试几次，在椅子上睡觉。
过速呼吸	多次跑着上下楼梯，直到喘不过气来，或者刻意地气喘10~15秒。
现实感丧失	用高度专注的方式创造一种超然或不真实的感觉：坚持念一个词，一遍又一遍，直到它听起来奇怪，并且开始怀疑这并不是一个词语。
迷失方向	低头向下看，然后猛地抬头。

思维的作用：自我交谈，消灭恐慌

下面的简单脚本是为幼儿和青少年准备的。一旦儿童有了属于他自己的抑制恐慌的脚本，他可以将信息写到索引卡上，并且将卡片保存，在将来恐慌发作的时候用（见表9—3）。

对于幼儿（7岁以下），家长可以指引儿童在恐慌发作的时候这样说：

> 握着我的手，这只是头晕，我们现在要将这些感觉全部呼出。慢慢来，看着我的脸，配合我的呼吸节奏。我来数数。一切都正常。你现在很好，一切都很好。这些恐惧的感觉就要过去了，我们要通过呼吸的方式，将这些恐惧吹到九霄云外，慢慢地呼吸。我们将要用空气来充气球，首先是红的，现在是蓝的。你只是有点头晕，头晕让你觉得很不舒服。你做得很好，眩晕会很快离开！

表9—3	7岁以上的儿童对抗恐慌
恐慌脚本	**抵抗恐慌脚本**
有些事不太对劲！	没什么事。我感觉有些不对劲，但是我并没有危险，一切都跟几秒钟之前一样。
我没有这个能力了！	这是错误的警报。我的大脑发送了错误的信号。
我要死了！	我并没有受伤害，它伤害不了我。
我必须出去！	我需要让我的身体舒缓下来，现在并不危险，什么事都没有发生，什么事都没有改变。
如果我晕了或是窒息了怎么办？	如果我的呼吸减缓，我就可以重新设定身体系统。我的身体将会得到新的信号，一切就都会恢复正常。
如果我疯了怎么办？	我感觉自己好像疯了，但是我没有。没有人因为恐慌而死去或者迷失。恐慌让人很不舒服，但是它伤害不了我。只要我不将恐惧附加到这些感觉上，这些感觉都会过去的。不要火上浇油，赶紧熄灭这团火！

｜回归生活：将"解除警报"的信号放在口袋里｜

恐慌是一种突然袭击，有某些情境和感觉可能会引起恐慌发作的恐惧感：班级旅行、汽车、电梯、听众席、露天场所、高屋顶、身体过热、旷野、商店、人群、剧场、体育赛事，或者只是离家远点。儿童如果了解了关于恐慌的事实，并且掌握了驱除恐慌的自我交谈，学会了呼吸调整方法，那么他们就可以进行阶梯学习，逐步地接近恐慌的情境。

家庭心理疏导

尽管家长了解恐慌的原理，知道如何控制恐慌发作，但是恐慌对于他们来讲仍然是难以掌控的，原因在于恐慌发作的突发性。你越了解恐慌的工作原理，就会越发想知道会发生什么。不是要家长参与讨论，而是要家长教导孩子，他需要进行的步骤，并且让他充满自信，知道自己会没事的。这将恐慌发作带出了危机的分类，并且将它引入了可掌控的情境，在这种情境中，解决恐慌发作并不是关乎生命或者死亡的事情，只是关乎时间的事情。由于肉体上的痛苦，指导儿童尽快舒缓身体是至关重要的。尽管你可能感觉反复询问孩子的恐慌很残忍，但是当你富于同情心地完成这一切的时候，你将真正帮你的孩子从极大的痛苦中解脱出来。

与儿童的治疗师合作，反复询问孩子要尽力回避的恐惧情境是什么。将这些情境按照等级排列，从易到难，富于创造性地将每一个情境划分成可以掌控的小的挑战。如果儿童想要去看比赛或者打篮球，但是担心会恐慌发作，那么设立一个目标，可以将活动进行一半，或者1/4。儿童对于这种小的目标，会更加容易接受，不会感觉不知所措；慢慢地他会发现这么做其实比他想象的简单，他们对于活动的预期估计往往比真实的活动情况糟糕。

尝试着妥善处理

如果儿童在活动中恐慌发作了，尝试着让他立刻离开情境（如比赛中他的座位），而不是让他离开此项活动。在楼里或者停车场里冷静一会儿。找到儿童觉得更安全的地方，引导他调整呼吸，安慰他恐慌马上要过去了。一旦儿童确信恐慌会过去，那么他们经常可以返回到活动中。待在恐慌情境附近，让孩子的焦虑慢慢减缓，这样可以帮助孩子体会到成功，也会避免对回避的强化。

焦虑的孩子
凯拉与马特

10 岁的凯拉将她的恐慌描述为"令人厌烦的感觉"。她知道她的恐慌是从哪天开始的。那是一个炎热的夏天，她和哥哥出去散步，她开始感觉疲惫，身体发热，想要停下来，但是她的哥哥想要继续往前走。凯拉感觉头晕目眩，"魂不守舍"，担心事情会变得很糟。她想让哥哥带她回家，她担心如果自己继续走可能会死掉。在那天之后，凯拉就很害怕那种令人厌烦的感觉再次出现。因为那看起来很恐怖，并且威胁她的生命，她开始走路受限。她哪也去不了，甚至去学校也变得非常困难。她的家人感到很困惑。为什么看似这么普通的活动，对于凯拉来讲突然间变得这么痛苦。她甚至不能去商场，无法参加独立日烟火晚会，不能去健身课堂，也不能去车站。

凯拉通过学习，知道了大脑会发送错误信息，让她误以为身处险境，实际上并非如此，这就叫作恐慌。现在她可以克服恐慌了，她将她的焦虑起名为"影子"，因为焦虑的感觉总是跟着她。每当她走出门口，不管是多近的距离，"影子"都会警告她会有令人厌烦的感觉，她不应该尝试。凯拉很快学会了如何将"影子"的错误警报消除，那就是做深呼吸，用发号施令的谈话方式："焦虑没有机会作出决定，但是我可以！影子，你不要左右我的决定，如果我累了，我可以停下来；我又不是在攀登珠穆朗玛峰，我只是要去汽车站。"凯拉通过暴露疗法的治疗，有机会直面恐惧，并且知道了她可以安然无恙。

凯拉治疗的转折点出现在一次购物中心之旅。最开始，凯拉很怕参加，但是我们设置了小步的目标。从一家店走到另一家店，她发现"令人讨厌的感觉"在她头脑中，而不是体现在身体上，这真的是恐慌制造的假警报。凯拉的父母也学会了如何跟她相处，看到凯拉是如何击退恐慌的。起初凯拉并没有试着去控制恐慌，而是被恐慌所操控，她感觉很生气，因为她害怕失控的感觉。她的妈妈意识到，当家长提醒儿童，焦虑可以由自己掌控的时候，孩子会感觉自己很强大，很有自信。她的家长会问她在情境中想做什么，家长要如何帮助她。凯拉已经半年多没有感觉过恐慌了，不用说，孩子的好转，让全家都有更多的时间来逛街了。

FREEING YOUR
CHILD
from ANXIETY　**焦虑心理学**
家长如何应对恐慌

- 我会帮你渡过难关的。
- 你感觉好像有什么不对劲，但是这些感觉并没有伤害性，你现在很好。
- 你不会发疯的，你也没有危险，你的大脑向你发送了错误的信号，你会很好的。
- 感觉带给你恐惧；焦虑在几分钟后就会过去。
- 跟我一起呼吸，让我们慢慢地呼吸。
- 即使真的存在焦虑，你也可以继续前行。

11 岁的马特深受恐慌症发作的困扰。几个月来，马特的家长都不知道该如何处理。这种恐慌发生在体育活动中、游泳队训练中、学校里。家长对马特非常关心，但是感觉他们完全受制于不可预测的恐慌发作。在学习了几个月如何处理恐慌之后，当马特的妈妈载着他去参加露营的时候，事情的转折点出现了。妈妈感觉到马特的情况没办法参加露营活动，他的妈妈直接带着他去往第二个目的地，马特待在车里，她预约时间看医生。马特的恐慌症发作了，他的妈妈镇定地指导马特："你可以躺下，但是我需要去看医生。"当马特的妈妈给医生打电话，告诉医生她会迟到一会儿时，原来蜷缩成一团、正哭着的马特，突然间镇静下来。就好像马特可以接受妈妈的引领，将生活回归到正常。这并不是大脑呈现给他的可怕的灾难场面。当他的妈妈挂了电话，马特说："我想我可以去参加露营了，我能应付得了。"马特的妈妈在这个事件中，没有被吓倒，而是开启了恐慌的大门，让真正的马特走出来。马特第一次恐慌发作就在电影院里，从那之后，马特再也不能去看电影了。此事不久以后，马特给我电话留言：

你好，琼斯基医生，是我，马特！你肯定猜不到我在哪里！我正在用我妈妈的电话。我和妈妈在电影院呢。我终于做到了，我来看电影了！起初，我感觉有点眩晕，但是我等了等，这种感觉就过去了。电影很好看。我正在过道中跳舞呢。这里没有其他人，我实在太高兴了，即使有别人，我也不在乎！我终于做到了，我又能看电影了，一点都不害怕！耶！先说到这吧，再见了，医生。

ADVICE / 建议箱

◆ 分离焦虑：让你的孩子画一个单独的温度计。以几分钟或者几小时为单位，每当孩子成功地跟你分离单位时间，就给温度计上色，在温度计涂满颜色的时候，大家一起庆祝取得的成绩。

◆ 恐慌症：让儿童画一张地图，在其中划定舒适区。将地图挂在墙上，对于舒适区以外的地方或者情境，每征服一处，就在地图上画图标注，或者用图钉标注。

活在仪式里的孩子
从仪式行为、强迫症到抽动障碍

布里塔妮特别害怕细菌，不能跟任何人靠近，父母也不行。她害怕自己会被感染。这远远超出了良好卫生条件和健康的要求。她注意学校里每个学生的咳嗽、喷嚏、胃痛。我对她班里其他孩子的健康状况了如指掌，甚至胜于他们的家长。每当我们靠得太近，她就会冲着我们大喊大叫。这让我很困惑，但是我心里明白她情不自禁，控制不了，肯定是哪里出了问题。

马丁有天早上醒来，判若两人，就好像有人在晚上把我们的儿子给掳走，我们现在正和完全不认识的孩子相处。他做着毫无意义的事情。他坦白了一切，各种小事儿、怪事儿。他对于触摸物品存在焦虑。他为每件事都道歉，甚至对道歉本身也要道歉。他每隔几秒钟就向我们表达一次爱意，并问我们是否爱他，就好像他的脑袋已经精神失常了。他已经病了。我不能送他去学校，怕他在学校精神崩溃。为什么他会突然发生这种变化？我不知道该怎么做。

强迫症：在孩子耳边咆哮的独裁者

"如果你踩到线，跳房子游戏就输了。"对于一些孩子，这可能代替乏味的回家归途的游戏；对于其他人，简单的步行到家却变成了沉重的负担。"如果我没有注意到发生的事情怎么办？这都是我的错。我刚才意外踩到线了吗？我要怎么取消呢？我应该走回去重新开始吗？哦，还有另外一条线……"

就像我们在第 6 章看到的广泛性焦虑障碍儿童，有超过 100 万的患有强迫症的儿童焦虑过度，但是这两者有两个主要的区别。第一，广泛性焦虑障碍的儿童担心的都是日常生活中的事情，而强迫症的想法往往是在毫无意义的、古怪的方面。以 8 岁的凯利为例，她跟她的妈妈说，她之所以不在教室看电视，因为她担心自己会吞下小黑板上的图钉。第二，患有强迫症的儿童要通过固定动作来减轻产生的焦虑。这些固定动作或者强迫性习惯经常是明确规则的普通行为，例如走路、交谈、呼吸、阅读、祈祷、活动等，儿童每天要花好几个小时在这些动作上。"每当我看到停车标志，我就呼一口气，这意味着有不好的事情要发生了。我最好再将气吸进来，为了获得好运，我会做 4 次吸气动作。"有强迫症的儿童对待这个世界，可能会像医生擦洗手术室一样勤奋，坚持使用餐巾纸，并且他们在坐着或祈祷的时候，会因为膝盖的朝向而害怕冒犯上帝。

事实上，任何东西都可能成为强迫症的一部分，为了避免受到伤害，越来越多的活动要严格按照规则来进行。因为我们都是习惯的产物，这一章将会向你展示，习惯动作与强迫行为的区别，前者是伴随着健康的成长和发展的，后者却可以导致血管堵塞，不仅影响到孩子的日常生活，还会影响到家庭的生活。评估一下习惯动作会帮助儿童感觉到自信（在去上学前，照镜子整理头发），还是感觉到焦虑（花几个小时的时间梳理头发，让它平整，直到他觉得"刚刚好"为止），这是判断的主要标准。

虽然儿童可能没有完全型强迫症，但是他可能会有某些模式或者局部动作可循，在这些方面他需要帮助：毫无瑕疵的书写、对于清洁的过度关注，或者过分的有礼貌。强迫症是一种治愈率非常高的障碍，早期的干预可以免除多年的痛苦。

这一章中的方法，将帮助你解决家里发生的各种行为，并且让你知道对于仪式动作如何寻求治疗，仪式动作包括洗手、反复检查以及完美主义。这一章中，我们首先看一下强迫症的诊断及治疗方法，然后简单介绍强迫症的危险信号，以及对于强迫症的 4 个主要子类型的干预方法：污染、检查、对称 / 刚刚好和坏念头。典型的强迫症会逐渐发作，一个多月或者几年，有些儿童的强迫症症状一夜就凸现了。这种强迫症的子类型叫作儿童自身免疫性神经精神障碍（Pediatric Autoimmune Neuropsychiatric Disorders Associated with Strep，简称 PANDAS），稍后我们会来讨论这种障碍。

患有强迫症的儿童将父母置于困境。他们原来通情达理的孩子现在却在做着毫无意义的事情，孩子自己坦白，并且再三强调，他曾经给猫下过毒、从学校偷过东西、将别人推向行驶的汽车、咒骂老师或者感染了艾滋病。当然，没有一个是真的，尽管家长首先想要去消除疑虑，然而他们很快就会发现这种安慰对于孩子的焦虑思维一点作用都没有。强迫症是不易受影响的，就像是超级细菌对抗生素有抵抗作用，这是一个道理的。症状没有好转，而是更加多样。安慰并不能治疗强迫症。首先要学习的就是为什么想法会不畅通，然后学习如何教会孩子过滤掉不健康的、夸张的、不必要的信息，放大健康的信息。

家长需要了解儿童的目标：他们的目标不是要远离不舒适和风险，而是要重新标识和降低那些奇怪的、无意义的风险的价值，将他们视为大脑故障或者垃圾邮件，然后学会与这些风险和不确定性共存。有一个孩子告诉我说：

> 为了用正确的方法起床，我需要做很多事情，否则我的强迫症就会发作，我将会有糟糕的一天。但即使我这么做了，我仍在想，我做的这些事情就是为了起床，这怎么会变得如此重要呢？从某种角度讲，我所做的这些触摸和数数的行为，让我感觉很不好，尽管这些行为都是为了让我更安全，但它也部分地毁掉了我的一天。其他儿童也想有快乐的一天，但他们不需要做这些事情达到目的。

强迫症的危险信号

下面的列表就是关于强迫症的诊断标准，它可以帮助你检测儿童的行为是不是属于强迫症范畴（见表 10—1）。如果儿童出现了下列问题，需抓紧时间寻求专业治疗。

- 强迫意志的出现：儿童脑海中出现固执的、令人不安的、不恰当的想法、图像或观念，驱散不走。

- 反复提问，并且答案不能让他放心。

- 从事强迫性活动：花大量时间不断重复做相同的事情，或者是避免一些日常的活动，例如触摸水龙头、穿鞋、回答问题、穿某件衣服、吃某种食物。

- 需要家长精确地回答他的问题。

- 强迫行为对儿童的日常生活造成干扰，并且耗费大量的时间（每天多于一个小时）。

表 10—1　　　　　　　　　　　强迫症行为的辨别

强迫症行为	非强迫症习惯
耗费时间。	没有过度浪费时间。
儿童觉得自己不得不这么做。	儿童想要这么做。
破坏日常生活，挑战他们自己的生活。	提高效率或者自得其乐。
感觉痛苦、恐惧和挫败。	有掌控的感觉。
表现古怪、不寻常。	表现正常。
如果行为被打断，会很痛苦，需要重新开始。	可以被跳过或者改变，不会有任何后果。
变得越来越顽固，并且随着时间的推移，动作越来越复杂。	久而久之，变得没那么重要了。
对会引起恐惧结果的事情敏感，为了避免伤害而做事，或者出于某些迷信的想法而有一些行为。	为了追求事件本身而做事；感到舒适，对于可能的恐惧情境及迷信想法不敏感。

　　强迫症症状的古怪特质是很令人恐惧的，家长和孩子首先会为这些错误想法的出现而恐惧。这些想法并不是危险的标志；它们是强迫症的标志。不论年代、文化和年龄，人们所体验的强迫症都基本围绕着 4 个方面的内容。不要试图通过观察孩子的人格特质来理解强迫症，同样，也不要通过检查家庭教养方式来窥探一番。跟其他焦虑障碍相似，强迫症并不是任何人的错，它完全是由于大脑的故障引起的。我们"想法的过滤站"尾状核出现了故障。原本可以被过滤掉的想法，却因为故障进入了"紧急信息"的接收盒，从而得到了关注。当然这些信息并不是真的紧急，但是只要这些想法或者图像呈现在那，孩子就会被这些想法所困扰，

并且为思考这些事情而感到恐惧。

　　患有强迫症的儿童会被他的强迫思想所影响，这种混乱让他们为事情发生的可能性感到恐惧。与其说为了那些古怪的想法，还不如说孩子为了强迫症而尽义务。根据杰弗里·施瓦茨博士的观点，重新标示是解决问题最好的办法。"我为什么要这么想？""我会这么想，是因为我的焦虑障碍。"要尽量客观地描述。当儿童试图在自身寻求解释的时候，就好像为恶作剧电话负责，其实他需要做的只是接电话而已。儿童无法控制侵入的想法，那么在治疗中，他将会学到如何控制想法入侵时的反应。

　　强迫症的周期是这样的：首先是想法侵入。"我可能忘记关柜子的门，我的弟弟会接触到那些清洁用品。"我们都有"可能会做坏"的打算，但是当我们找到"好的答案"，我们就会让这件事情过去。但是患有强迫症的儿童不会接收到这种信号：让事情过去，而是代之以强迫行为（在那时看似很好的解决方案：重新确认是否关门、再次洗手），并且暂时得到了焦虑的缓解。问题是此种焦虑的缓解并不会持续很长时间，不知不觉，这种复查会演变成第二次、第三次，他们头脑中充满着这样的想法。儿童需要理解的事情是故障思维已经开始运转，治疗正是要让他们分清这些骗人的想法，并且想出一个计划来反驳这些想法（见图10—1）。

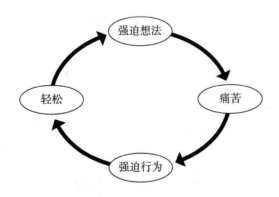

图 10—1　强迫症的周期图

干预方法：暴露与仪式行为阻止法

以下就是儿童在治疗中要掌握的步骤。与第 5 章提到的管理计划的步骤很相似，其中最大的区别就是加入了额外的暴露与仪式行为阻止法，这也是我们战胜强迫症最有效的利器。在暴露与仪式行为阻止法中，儿童将自身置于强迫症发作的情境中，但是并不按照强迫症的规则行事。举例来说，儿童可能会不洗手而触摸他的鞋，或者闭着眼睛锁门而不再重复确认。虽然家长可能急于将暴露与仪式行为阻止法应用到每个症状中，但暴露应该从最简单层级的引导慢慢开始，首先要使用恐惧测试计来制订层级表（参见第 5 章）。

|第一步：重新标识|

解决强迫症想法的唯一方法就是首先要确定这是大脑出现的障碍。大脑的过滤网不能正常工作，因此可以归咎于强迫症、"大脑虫"、"完美先生"，等等。家长和儿童可以共同参与到对抗大脑障碍中来。这样儿童就不会感觉处于尴尬的局面，可以将自己的愤怒和挫败感针对"大脑虫"，而不是家长。如何区分强迫症想法呢？即便是一个 4 岁或 5 岁的儿童都可以讲出"极端的固执想法"与常规想法的不同。让儿童在一张纸上画两个箱子。在其中一个箱子上写"正常的想法和做法"，在另一个箱子上写"我感觉不得不做的事情及其他"。让儿童填充每个箱子。"不得不做"的箱子就是强迫症，儿童可能会想画一个垃圾箱在这个箱子下面，因为那些想法都应该放进垃圾箱。

幼儿的重新标识

- 给强迫症起个名字：大脑虫、烦恼先生、毛毛怪、灾难使者、小气的大脑。这样有利于家长和孩子共同对敌。
- 画一张强迫症的图片或者制作一个强迫症的木偶，变换你的声音，演示它是如何操控你的孩子的。

年龄稍大的儿童的重新标识

- 这不是真实的我，这是强迫症所为。
- 我这么想是因为我的大脑出现了错误，并不是因为事情本身是错误的。
- 切换正确的思维模式，试想一下："如果我没有强迫症，我会怎么想呢？"
- 这是电话推销员在跟我兜售我不需要的危机保护，赶快挂电话！
- 这是垃圾邮件，扔了它，都是虚假的。

|第二步：表演与倾诉|

　　应用暴露与仪式行为阻止法，儿童要表现和谈论强迫症，搞清楚谁才是发号施令的人，回拒强迫症并且抵制仪式行为。以下是关于暴露与仪式行为阻止法的相关建议。首先最好是以角色扮演的形式练习暴露与仪式行为阻止法：不管是对5岁的孩子，还是15岁的青少年，通过角色扮演让他们了解强迫症是如何欺骗他们，让他们对情境产生错误的认知，并引导他们用正确的思维来代替强迫症想法。角色扮演就是揭露真相的时刻。儿童会听到强迫症在絮叨："看吧，你并不介意拣起看到的所有垃圾；是的，你没发现这个凹陷的地方，但是又怎样呢，如果有人因此而跌倒那就是你的错，而跟别人无关，你是不能冒这个风险的！"这点燃了他们对强迫症的怒火和挫败感，促使他们驱散焦虑，进行回击。如果儿童无法领会发号施令谈话的要领，那么就让他在烦躁的时候模拟同伴的声音来表达。提醒他如果是他的同伴或者家长要求他做这些强迫行为，他一定会断然拒绝的。他是可以拒绝强迫症的不合理要求的，他不应该屈从于强迫症。

应对仪式行为的方法

　　儿童通过应用恐惧测试计，先要确定自己的强迫症层级，确定克服每一层级强迫行为的难度，一旦这个层级形成了，那么他就可以从下面的方法中选择适合自己的改变强迫症模式的方法。虽然我们的最终目标是要消除某特定情境的强迫的仪式行为，但是下面这些方法可以作为过渡步骤，帮助儿童早日达成目标。

- 延迟策略：不要去水池那边；延迟仪式行为的间隔时间，逐渐将这种间隔拉大；先是2分钟，之后4分钟，再试试10分钟。

- 提早消除：缩短仪式行为的时间，早些抽身，你就知道了如果你开始其他行为，"完结"的感觉会跟着你的。如果你一直等着完结的感觉，那么你将永远等下去。

- 你的朋友会怎么做呢？试着用你的朋友的方法说"再见"，或者学着其他正常儿童的方式去锁你的柜子。

- 模式改变：在某种程度上改变仪式行为。从左手开始，用不同的次序，改变速率，变换不同的方向。开始问让自己安心的问题，不要说出所有的问句，而是将问句中每个字的拼音首字母提取出来，例如问句：MZJM？（明早见吗？）回答是：D·MTJ（对，明天见。）这最开始听起来会觉得有点傻，但这是有好处的。尽管这也是模式化的，但是这种模式来源于你自己，而不是强迫症，因此你可以很轻易地改变它。

- 改变情绪基调：因为强迫症听起来很吓人、很严重，即使想法本身不是这样的，那这些方法也可以将严重性降低。在某种程度上改变强迫症的声音，让它听起来可笑和滑稽，也可以模仿猫王的声音，把要说的话唱出来，或者是用儿童的颠倒语序讲出，或者将此画成一个傻傻的卡通形象。

- 夸大：用慢动作来完成仪式行为，并在镜子中观察自己的行为。

- 新闻播报员/赛事现场播报员：摒弃仪式行为，而是将你头脑中的强迫想法意义记录出来，将这些想法说出来，而不是付诸行动，这样你就有时间选择忽略这些想法。原来你可能会说"当我看到影子的时候，我不得不敲三下，以此来确保我的父母没事"，改变这种说法。如果你是大脑的播报员，你会如何描述这个过程呢？"我们现在加入了里奇的行列，他正与一个黑影并行，他的大脑向他传送了错误的信息，那就是黑影意味着死亡。他会怎么做？黑影真的意味着死亡吗？对于黑影里奇还知道什么呢？他可以自己变换思维吗，还是强迫症会最终占上风呢？里奇看上去有些受挫。这也不失为一个好现象。他正在独立思考。我们可以看到明智的大脑加入了进来，说：'我讨厌这样，黑影代表不了什么，他们到处可见。'强迫症反驳道：'只是以防万一，敲三下就可以让你和家人远离死亡那个黑影。'里奇停下来，思索着：'强迫症就是这样。我可以象其他人那样踩着影子。你说的就只是个想法而已。只有我能决定如何处理这些想法。我不会上你的当，已经够了。我会让强迫症停止下来，我正在做这件事情，虽然挺难，但我在做。我今天就会尽可能多地踩黑影，我要告诉大脑影子是安全的。'行动现在开始！里奇夺得一分，强迫症得了个大鸭蛋！"

- 做相反的事情：如果强迫症让你从左脚开始，你就偏偏先迈右脚。如果强迫症指示你从相同的门走出来，你就要反其道而行之。

● 奖励：如果你以前走出房间都要让灯反复开关，或者你每次换鞋后都要洗手，那么尝试着改变一下，每次你能够克服原来的强迫行为，就给自己一分。

第三步：重新聚焦儿童想做的事情

每次儿童对抗强迫性想法，或者打破意识行为，他们都会感觉到些许焦虑。因为他在改变行为模式。强迫症和儿童正在进行一次博弈，就好像拔河比赛，强迫症试图将儿童拉回到仪式行为这边。儿童感觉到焦虑实际上正意味着治疗方法的正确。一定要记住，焦虑会在几分钟之内自行消失，尤其是当儿童不在意这件事情的时候。告诉他这就好像是跳进游泳池里：最开始感觉水很冷，但是一会儿就适应这个水温了。让他对自己的恐惧进行测量，并从 1 至 10 排列。然后他可以做那些值得花时间的事情了，例如玩接球游戏，哪怕是在屋里用一双袜子代替球都可以。他应该变得主动一点，出去散步或者跑步，跳舞或者唱歌，这样他的大脑将会越过原来过不去的坎儿。留意一下在儿童没有仪式行为的情况下，他的恐惧度是如何下降的。一次成功的暴露就能让恐惧度下降至少 20%，最完美的结果是下降 50%。这将有助于形成新的思维环路。当强迫思想闯入时，不是用强迫行为来应对，而是要形成一种新的行为模式：坏想法、重新标示、做些更重要的事情。问问你的孩子："如果没有强迫症的困扰，你会做什么呢？"

家长和孩子要共同努力，让孩子将等级不同的挑战写在不同的纸条上，放在一个纸筐里。每天让孩子从中选择几个挑战进行练习。练习得越多，那么克服各种情境就越快。

第四步：强化儿童的努力

对抗强迫症是很艰难的，并且也不是一朝一夕的事情。如果你的孩子致力于克服强迫症，那就像是他做了额外的工作，或者是在学校多参加了课程，没有人会付给他薪水，或者给他评分，但是儿童一路走来应该得到奖赏。有时候症状的减轻就是最好的回报，但是如果效果不明显，也不要退缩。运用小而适当的奖励来鼓励孩子形成新的思维方式。奖赏就有可能成为儿童减轻症状的动因；最终，当他开始上路，并且越做越顺的时候，奖励就可以悄悄撤下来了。你可以用两个瓶子来表示儿童的进步，一个标识为"大脑虫"，里面装满了豆子、硬币或者纽扣；另一个是空的，上面写上孩子的名字。每次儿童完成了一个挑战或者阻止了一次仪式行为，他就可以从"大脑虫"的瓶子里拿一枚硬币放在另一个瓶子里。最后在每个周末，儿童可以用得到的硬币交换一个小礼物。

四种强迫症

在接下来的部分，我们会对强迫症的4种子类型进行详细地论述：污染、检查、对称/"刚刚好"和坏念头强迫症。这些类型的危险信号已经列出，并且总结了治疗方法。关于治疗方法的细节描述可以翻阅《让孩子从强迫症中解脱出来》（*Freeing Your Child from Obsessive-Compulsive Disorder*）一书。

│污染│

FREEING YOUR
CHILD
from ANXIETY **焦虑心理学**

危险信号

- 害怕细菌、疾病；尽量避免接触可能被污染的地方、人或者事物，例如毛巾、餐具、家具、门把手、电话、楼梯扶手、钢笔、公共浴室等。
- 花费额外的时间在浴室里清洗，导致洗衣量增加，手开裂红肿。
- 拒绝穿指定的衣服，因为此服装可能被很多人碰触过；拒绝坐在指定的椅子上，同样是因为它的复杂接触史。
- 将生活的世界分成两个不同的时段：洁净时段及污浊时段。为洁净时段制订不同的规则（淋浴后不能下楼，不能碰触家庭成员，但是允许家庭成员接触自己），污浊时段规定为白天出门直到回家为止。
- 过度擦拭，因为可能有污迹而频繁换衣服。
- 检查食物上是否有异物，是否过期，是否被污染等。
- 恐惧接触魔术笔、清洁剂、汽油。
- 迷信性或象征性的污染：如果我在脏兮兮的时候碰触我的作业，那我就会考试不及格。

疗法概要。对于患有污染强迫症的儿童，他们会不断地清洗，直到自己感觉干净为止，有的儿童还避免接触公共物品，因为感觉它们不干净。其实这些感觉跟物品是否干净没有关系，只是大脑没法过滤掉污染信息，不能正常地传输"干净"信息。暴露与仪式行为阻止法包括对避免事物的接近以及逐个接近强迫情境的层级，并且抑制清洗行为。对儿童要传达的信息是：你是干净的，但是你的大脑还没有接收到这个信息。在治疗中，儿童要按照等级排列出自己的污染情境，这些情境既包括完全避免的情境（例如门把手，因为他们需要推门的话，会用脚来代劳），也包括过度清洗的情境（买午餐的时候会用到钱，碰触过钱后要洗手）。从最简单的情境开始挑战，儿童可以练习触碰令他们恐惧的物品，并且碰触后克制去清洗。在扔球游戏或者纸牌游戏之后，检查他们的恐惧度，看看降低了多少。无论何时都要保持暴露疗法的趣味性：可以拿"脏"的鞋子和衣服来玩，训练大脑，让它分辨哪些东西是安全的，哪些不是。

检查和重复做事

FREEING YOUR CHILD *from* ANXIETY **焦虑心理学**

危险信号

- 过度地包揽责任；在车里为安全负责（检查安全带），在家里检查门窗、电灯开关、电插座、烤箱、门锁。
- 反复问一些确认性问题：你说什么，确定吗？
- 回倒视频，以确信他听的没错。
- 重复阅读，以此来保证自己的理解是对的；如果他犯了错误，必须要从头开始做。
- 花费不必要的时间重新做作业，考试前过度复习，做数学题时反复检查计算的结果。
- 反复地关抽屉、车门，反复检查确定它们真的关上了。
- 重返楼上检查自己的玩具是否还在原地。

疗法概要。如果开始的时候你没有事情完成的感觉，那么再试试看！当我们完成一个动作，例如削铅笔、关门、写下数字、穿鞋，我们会得到大脑的信号，告知动作已经完成。就好像安全带"啪"的声音，那个声音就代表准备就绪了。治疗包括逐步地降低检查的次数，家长忍住不回答儿童问题，以及帮助儿童远离电源插口，以免他不确定电源是否关闭而不停地开和关。记住反复确认并不能解决问题，因为这是大脑的故障。指出大脑的故障并且要求你的孩子说："谁想知道问题的答案呢，是你还是强迫症呢？"指引儿童问问自己，自己多大程度上可以确定灯已经关上了，让他找出"明智的自己"来做决定。应用儿童的症状的层级表，开始减少他检查事物的数量和次数。让儿童按照以下指示做：将儿童检查的冲动延缓 5 分钟，并且让他们忙些其他事，这样他的大脑就不会停留在原来的事情上；做一个检查的预估表格；制作奖状并且张贴出来；标出免检区域；确定需要检查的危险区，如果没有清晰的计划和明确的目的不要进入那个区域。

│对称、平均、数字、"刚刚好"│

FREEING YOUR
CHILD
from ANXIETY **焦虑心理学**

危险信号

- 不断地矫正枕头的位置，重新摆放玩偶、奖杯、书籍、铅笔，不断重扎头发，不停地平整衣服或者熨烫衣服，重绑鞋带。
- 感觉有种冲动，想要调整左右平衡。
- 用橡皮不停地擦字母或者数字，直到他们看起来没有问题，这个时候写字的纸可能被橡皮蹭出一个洞来。
- 对称接触：如果有人在一边撞了他，那么他需要在另一边也被撞一次。
- 作业非常工整，像是用打字机打出来的一样；方法比结果更重要。
- 离开房间、大楼或者座椅的时候，要用走进来时相同的方式。
- 因为要用最准确的方式做完事情，因此进度非常慢。
- 幸运数字、厄运数字、咀嚼固定的次数、吃固定数目的饼干、将电视或者收音机放置在固定的频道或者调频上、语句加起来要合计为固定的数字。
- 牙刷或者鞋子要指向特定的方向。
- 需要正序和倒序的念音节。
- 需要数天花板瓷砖的数量、计算窗玻璃和地板的块数。

疗法概要。精准度和整齐度是家长希望孩子拥有的品质，但是强迫症的儿童却走得过了头，他们在这方面的过度要求成为一种毛病而并不是优点。因为患有"刚刚好"强迫症的儿童被一种感觉充斥着，如果不做某些动作，总感觉事情不对劲或者没完成。他们经常行动非常迟缓，没有什么是自动化的；他们不得不考虑每个动作，看到并且要在脑中回放。他们走过大门的时候对吗？他们衣服穿得对吗？每一个小小的动作都有其正确的方式，并且需要付出极大的努力去完成。对此类儿童的干预方法就是关闭他们的思维通道，去行动。就像前花样滑冰运动员斯科特·汉密尔顿（Scott Hamilton）在看冬奥会时的评论："你不能想太多，就照着训练的时候那样滑，什么都不要想，'傻傻地滑'就是了。"当儿童重新标识重复动作的警告时，他们可以将强迫症的大脑关闭，只是"傻傻地活"，这样反倒是一种聪明的生活方式。

使用层级表，儿童可以从不平均开始尝试。他可以穿两只不同的袜子，或者带不配对的耳环，用"错误"的顺序排列物品，随意地摆放鞋子或者故意让鞋子指向不同的方向，闭起眼睛整理东西，遮上窗子，将枕头或者餐具非对称地摆放。轻微地倾斜图画，让它在房间中歪斜。不按照固定的次数来做事。用上面提到的"双瓶方法"，儿童每次成功地拒绝将物品对称或均匀放置，就从"大脑虫"的瓶子中拿出一枚硬币来。

|坏想法|

FREEING YOUR
CHILD
from ANXIETY **焦虑心理学**
危险信号

· 害怕变成坏人。
· 为无关紧要的事情或者他"可能做过"的事情而感到抱歉。
· 为坏的想法而感到忏悔，例如"我恨你"、"我觉得那个人长得很丑"。
· 拒绝回答问题，或者拒绝说"我不知道"、"可能"，因为他担心自己会说谎（其实他没说谎）。

- 每天不停地祈祷，害怕冒犯上帝。
- 头脑中有关于性的想法和想象，为性行为而感到忏悔，对于意味着同性恋的行为感到恐惧。
- 有推人或者踢人的想法，有碾过某人或者刺伤某人的想法。
- 避免接近刀具，尽量不开车、不骑车，因为害怕会伤及他人。
- 头脑中有暴力、死亡或肢解的映像。

疗法概要。"坏念头"上演了残酷的骗局。它让儿童对自己最关心的事情产生了怀疑，怀疑自己的人品，并试图说服儿童，让他对自己的能力表示怀疑。这个骗局让一些无关痛痒的念头（例如"如果……怎么办"）变成了儿童的核心特性。我们每个人都有古怪的念头，只不过大多数人将这些念头过滤掉，并且我们也没把这些念头当回事。

很多"坏念头"的症状都根植于大脑的把戏，即认为巧合就是故意。"如果刚巧我看到一把剪刀，那意味着我想用剪刀伤人。当教师谈到约会强暴的时候，如果我碰巧看到一个女孩，我也会伤害她的。如果我的脚指向了左边的教堂，那么我必须向魔鬼祈祷。"患有强迫症的儿童，在了解这种骗局之前，会认为念头就代表真实。之后儿童开始掉进另一个骗局的漩涡，就是我们常见到的，事实与可能性融合。想象一个 5 岁大的儿童，非常可爱，像个小精灵，却泪流满面地忏悔说她是一个坏女孩，应该被送到监狱里，因为她偷过东西，还有可能杀过人。这都是因为她的"邪恶大脑"将这些画面植入她的头脑中，她害怕受到惩罚。儿童和家长在了解了这些可怕的念头后会感觉轻松，家长会觉得这些可怕的念头仅仅是普通的强迫症，没什么特别，但是就是这些念头让数以百万计的人痛苦不堪，并与之抗争了几个世纪。

对于"坏念头"的所有类型，其主要的干预方法都是确定念头的来源，将之降低到大脑可接受的程度，而不是通过忏悔方式，伴随着恐怖情境的情绪要尽量改变。儿童可以将这些伤害别人的想象场景转换成卡通场景，就好像小老鼠"吱吱"叫的可怕念头，将这些念头降级，直到感觉它们微不足道。用"愚蠢"、"荒诞"

来对抗"可怕",这样可以抵消恐惧,让孩子重新掌控局面,例如将想法唱出来,或者像《海绵宝宝》里头的帕特里克那样说话。你们要一起将强迫症大脑故障的权威性降低,这些想法的可信性降低了,孩子的恐惧水平也就随之降低了。

尊重孩子的接受度

当强迫症第一次发作时,家长处于不利地位。家长感觉困惑和恐惧,害怕作出错误的反应。强迫症同时助长家长和孩子的恐惧。最重要的就是要向儿童展示,你并不畏惧强迫症。这能说明强迫症信息是没有意义的。要做到这一点确实需要做些工作。家长要做好攻坚准备。本能会驱使家长解救痛苦中的孩子。但是认知行为疗法,作为最有效的干预方法,确实需要儿童暴露于痛苦之中,这种方法可以潜在地消除85%的强迫症症状。

当家长想要严肃地对待强迫症的时候,那就意味着不要那么刻板,运用幽默、讽刺、嘲笑的口吻说:"我信任你,你也可以信任你自己。"对抗强迫症就是充满怀疑:如果我想到杀掉某人,那么我可能真的想,也可能只是气话。因此如果家长可以理性地提醒孩子,对于患有强迫症的儿童来说就是天大的好事。当家长非常清楚地了解大脑的那些无效信息后,就不会如此严肃地对待儿童的痛苦了,他们将会引导儿童走上康复的道路。因此,首先家长应该重新标示这些问题或者关注点:"强迫症,我们看到你了,不要再欺负我的孩子!"过段时间,家长可以变得更加"尖利"和不可理喻,超过强迫症的怪异,之后就没有人恐惧强迫症了。

对于家长的忠告就是要注意儿童的接受程度。绝不要用超出儿童的幽默理解能力来处理问题,也不要用幽默讽刺孩子。用它来对抗强迫症,以此向你的孩子展示你是自信的、毫不畏惧的。没有人在治疗的开始就敢冒险,因为大家都害怕。经过一段时间,当强迫症的模式变得可以预测了,家长就可以信任这种治疗方法,并且可以在这件事情上开始应用他们的创造力。

玛莎就展示了她对暂时摒弃严肃性的理解。她的儿子尼克正与浴室做斗争,尼克每次使用浴室，都要脱光衣服并且淋浴。"我们已经治疗了几个月，尼克也确实有了稳定的进步，但是他还需要一点点推力。"当玛莎用 10 美元诱惑儿子克服障碍的时候，她想让儿子使用浴室而不换衣服和淋浴，结果尼克立刻回答说："你想让我死吗？这就是你要告诉我的吗？细菌会要了我的命，我会感染炭疽热、天花、黄热病！你还不如直接要我从帝国大厦跳下去！"玛莎把握住机会，说："你觉得你会死去，但是那只是感觉而已，感觉并不代表事实。听着，我知道这听起来很恐怖，妈妈并不应该这么说，但是我付给你 10 美元，要你每天这么做，如果你真的死了，那么你的葬礼会花掉我更多的钱。你不觉得我在冒更大的风险吗？"尼克有些被吓到了，但是妈妈实事求是的立场让他冷静了下来，并将他拉回现实。他做好交易的准备了。尼克的妈妈可以这么做正是因为她理解儿子的恐惧是虚假警报，这种警报并不能拯救她的儿子，玛莎需要教会儿子与之对抗，这样他才能正常生活。

抽动障碍：一夜爆发的强迫症

大多数患有强迫症的儿童都经历了漫长的发展历程，从数月乃至数年，但是接近 1/3 的强迫症儿童，他们的症状是在一夜之间变得剧烈和明显。家长可以准确地描述儿童转变的瞬间，他们从普通的孩子变成了问题严重的、有明显仪式行为的孩子，简直都要认不出来了。许多理性的家长都用"着魔"来形容自己的孩子。这个综合征，最初是由美国国家心理健康研究所的苏珊·斯韦多（Susan Swedo）发现的，被称为与链球菌感染有关的儿童自身免疫性神经精神障碍，或称为"突发性强迫症"。

患有突发性强迫症的儿童具有强迫症的遗传倾向。此病症在 5~9 岁的儿童中最为常见，并且主要发生在青春期之前的儿童身上。A 组 β- 溶血性链球菌的存在促使免疫系统在血液中产生抗体来对抗感染。对于一些儿童，这些抗体并没有用来对抗链球菌，而是吞噬基底神经节中健康的细胞，这正是强迫症发生的那部分大脑。这导致了强迫症症状的突发或者现有症状的恶化，以及后面所列的其他表现。在抗生素治疗几周后，链球菌培养呈阳性，儿童会感觉强迫症的症状逐渐减轻。

通常情况下还会有残余的强迫症症状，但大多是轻微的，通过认知行为疗法可以逐渐克服。有些儿童的突发性强迫症会反复发作，这些儿童要进行预防性抗生素的治疗，既不能间断而且要在链球菌活跃的季节进行（冬季和春季）。这种干预方法会持续有效。

链球菌感染的典型症状就是喉咙酸痛、发热、头痛，患有突发性强迫症的儿童可能并没有表现出这些典型症状，但是他们的链球菌培养仍然是呈阳性的。因此，如果你的孩子有轻微的感冒，并且强迫症症状增加，行为症状明显，那么就带他去做一下咽喉拭子病原体检测。

FREEING YOUR
CHILD
from ANXIETY **焦虑心理学**

儿童自身免疫性神经精神障碍的危险信号

- 强迫症症状的突然发作或者恶化。
- 抽动障碍的症状突然发作或者恶化：例如眨眼、掰指关节、清嗓等。
- 肢体肌肉的反常性多动。
- 情绪退化。
- 夜间恐惧。
- 分离焦虑。
- 感知觉的敏感性增加：服装的标签、特定材质、鞋和袜子都可能接受不了。
- 不寻常的肢体动作姿势，舞蹈症动作（手指的弹钢琴动作、胳膊、手、脚像在写字的动作）。
- 笔迹变差。
- 极度活跃、烦躁不安、笨手笨脚。

儿童突发性强迫症的检测

- 儿科医生应该要做一个咽喉拭子，如果在快速检测中没有呈阳性，那么将样本继续培养 2~3 天。
- 如果培养的结果呈阴性，那么几天内或者一周内重复测试。
- 进行链球菌抗体的血液检验，此检测称为血液点滴定量检测，检测结果可以绘制成图，但是图表有时候也很难预测，因为有些孩子的情况比一般情况的基线要高。这种检测分为抗链球菌溶血素 O 点滴浓度测试和抗脱氧核糖核酸酶 B 测试。

|突发性强迫症的治疗方法|

抗生素治疗方法可以抑制链球菌感染，一般的强迫症症状可以在治疗疗程完成后几个星期内明显改善。在一些案例中，抗生素治疗方法没有显著效果，但是美国国家心理健康研究所突发性强迫症项目正在研发新的实验方法：血浆取出法和静脉注射免疫球蛋白法。这些干预过程，都需要在医院住院实施，从本质上看是要将引发症状的抗体的血液进行"净化"。尽管这些方法非常有发展前景，但是仍然在实验阶段，还未得到广泛的应用。

焦虑的孩子

马克与牛奶

10 岁的马克度过了一个艰难的夏天。他品学兼优，很有幽默感，并且擅长好几项体育运动，但是突然间，他非常怪异地开始在意自己是否在棒球营犯规了。他会反复做动作，以确定自己是否正确。他开始关注自己在夏季阅读计划中是否抄袭。生活对于马克和他的家长来说变得没有了意义。他记得听到新闻上说坏人如何用手或者身边的物品来打信号：装着 9 个苹果和 11 个橘子的水果篮意味着攻击。当马克握着自己的胳膊出来并且不停眨眼的时候，他自己也吓坏了，这好像是向别人传达要做坏事的信号。

马克和他的家长在接受治疗后感觉轻松多了，他们可以理解这些怪异的症状。这些症状毫无意义，并且是可以治愈的。经过几周的治疗，马克看起来精神多了，如释重负的样子。

有一天，在游乐园骑马的时候，马克有了一个"坏"念头，那就是他不应该握着缰绳，这样会弄坏绳索。开始骑的时候，他吓坏了，但是之后求生本能生效了："我在脑海中进行自我对话，我是要冒不抓绳索会摔死的风险，还是要冒弄坏绳索的风险呢？毫无疑问，我并不在乎是否会把绳索弄坏，我要抓着它！"马克的变化在于他可以不那么在乎强迫症的信息，并且意识到他可以自行选择怎么做。他可能要冒风险，但是风险很小，也值得他这么做。

马克和家长的转折点发生在接受治疗3个月后。马克在游泳训练的时候出现了强迫观念，他莫名其妙地想停下训练然后出去杀人。强迫的结果就是他每游几下就得看一次钟表，确认自己的时间，他在这段时间没有溜出游泳馆去实施谋杀。他跟他的父母现在可以处理这种问题，他知道这是强迫症的想法与可能性融合的骗局。要相信这些想法是不会实现的！马克深深了解这一点，他没有离开游泳池，但是强迫症使他失去了理智！他的父母也受到了强迫症的治疗训练，开始用非常揶揄的方式跟马克说话。他们说："当你离开游泳馆出去杀人的时候，能不能在路过商店的时候帮我们买些牛奶？"这种说话方式很有利于马克对抗强迫症，让他将焦点转移到荒诞性上来。当他完成游泳训练走出来后，对妈妈说："不用担心，我不会忘记买牛奶的！"我想你会认为这个家庭在治愈强迫症方面找到了属于自己的方法。

11

紧张的小孩
从紧张到图雷特综合征

我的儿子开始不停地眨眼睛。他说这没什么，但是我觉得这绝对不正常。有时候他不停地用力清喉咙，我都担心他会受伤，至少我听到他清喉咙的声音会觉得很难受。我们需要对此视而不见，还是试着阻止他呢？我不想让他变得更糟，不想让他被嘲笑。

莉兹早上下楼吃早饭，我立刻觉察出有些不对劲。我看着她红红的眼睛，知道她刚才哭过，而且她的睫毛几乎一根不剩。她告诉我她并不知道为什么自己要拔睫毛，但是她无法停止。之后，我们两个都哭了，因为我也不知道该怎么做，但我跟她许诺一定会帮她找到解决方法。

紧张时刻

我们窥探任何一个小学教室，都会发现里面既有儿童大同小异的行为，又有幼儿们各种各样典型的习惯行为。儿童们展示了很多不同的行为，这些行为也都有很多不同的成因。"紧张习惯"并不是术语，我们用它来描述吮吸拇指、咬指甲、扭搓双手、尿床等相关行为。卡萝尔会因为紧张而用力拉自己的衣服，另一个同学可能会做相同的动作，但原因却不同，他是为了摆脱无聊和烦躁，帮自己集中精神。还有的同学做出用力拉衣服的动作是由于抽搐行为,这种抽搐完全是无意识、无目的的,是听命于大脑指令的,他可能既不是紧张,也不是无聊,仅仅是对大脑发出指令的执行。

那么什么是更重要的呢? 不是儿童正在做的动作或者行为,而是这些行为所引发的结果。习惯可能会因此而形成,对孩子产生极大的影响,儿童最初的行为可能是偶然的、无意的,或者是无心的注意转移,但这些却被自动抽动或者不易改掉的习惯而取代,并且儿童会认为这是改不掉的。很多儿童在描述拔毛症刚开始的时候说,某天当他们正在揉眼睛的时候,无意中发现这种行为可以减缓紧张感,在接下来的几周里,这种无意行为竟演变成无法克服的习惯,让他们不停地重复这些动作。抽动对于儿童来讲可能是灾难性的,尤其是当他们还不知道这些动作是不知不觉的,并且没有意识到这些行为不恰当,不应该是儿童尝试去做的。

很多儿童的习惯行为并不需要治疗,这些习惯可以通过提醒、奖励或控制技巧等解决。如果有需要,可以通过有效的认知行为疗法对儿童进行训练,一些明显的抽动行为(例如扭脖子或者眨眼睛)可以减少,并且表现得不那么明显,在有些案例中抽动现象被一并消除了。拔毛症也可以通过认知行为疗法来治疗。

对于想改掉的习惯,不管是怎么形成的,其治疗方法都是一种特殊的认知行为疗法,叫作习惯改变疗法。这一章将简要概述不同的习惯类障碍,并且描述习惯改变疗法的主要步骤,即如何应用习惯改变疗法改变习惯行为或者重复动作。在此章中,我们还会给家长提供指导,让你给孩子提供有效的支持。

紧张的危险信号

3~4 岁的儿童,吮吸大拇指、磨耳朵等习惯可能让自己觉得很舒服;他们并没有考虑到其破坏性,而是将其忽视。事实上,因为儿童在这个时期,行为控制的能力受到很大的限制,所以试着消除儿童的这些习惯并不明智,不仅会让他们感觉沮丧，而且还有悖于儿童的身心发展，影响父母与儿童之间的信任。儿童在 4 岁左右时有了更强的语言能力，更大的注意力转移空间，以及更强的延迟满足能力之后，就可以鼓励儿童，使用习惯改变疗法去除不良习惯了。

将习惯动作与问题行为区分开来，是很困难的事情，下面的清单可以作为一个很好的开始。不要总是等到危险信号出现之后才采取行动，这本书中谈到的技巧可以用来做预防，有些问题是可以避免的。

FREEING YOUR
CHILD
from ANXIETY　**焦虑心理学**
问题行为的危险信号

- 在意识到自己的某些行为动作后，儿童无法停止这些行为。
- 儿童对自己的行为感到沮丧和困惑，但是无法控制。
- 儿童在做出某些行为的时候感到紧张和焦虑。
- 一些行为是儿童感觉被迫而为的，并非自己所愿。
- 儿童在抵制这些行为的时候，感觉紧张和困惑。
- 必须要做出某些行为才能够减缓紧张和困惑的感觉。
- 当做出某些行为的时候，儿童才有轻松的感觉。
- 行为导致身体受害，例如由抽动导致的脖子、指关节酸痛，由拉拽头发导致的秃顶。
- 行为干扰事件正常进行（运动会中或者数学考试时，儿童需要打断这些活动，而做出特定的行为）。
- 吐痰、掰指关节、抠指甲等一般行为习惯，伴随着大量的抽动行为或者伴随着发声抽动（哼唱或者清嗓）。

问题行为：抽动障碍、拔毛症

|抽动障碍|

常见的动作抽动包括眨眼、扮鬼脸、舔嘴唇、摇头、耸肩、下巴碰胸或者肩膀、触摸物品、敲击或摩擦物品、胳膊或躯干扭动、跳跃、拍手、跺脚、亲吻物品、抚摸生殖器。

常见的发声抽动包括清嗓、发出"咕噜"声、发出"吱吱"声、咳嗽、哼唱、叫喊、回声、重复语句、喉咙后部发出"咯咯"的声音、重复某个词或短语。

什么是抽动? 抽动被描述为一种心理渴望,是一种无意识的重复动作,这些动作可能是也可能不是来自于身体的警告,例如痒痒或有强烈的紧张感。有些儿童有时候无法意识到他们的抽动行为,还有些儿童可能体验过在特定地点的紧张感觉,感觉就好像有事要发生,当他打了个喷嚏之后,突然觉得紧张感减弱。当儿童尝试着抵抗抽动的时候,比如不打喷嚏,那么在此过程中,他都会感觉到紧张。经常是在抽动发生之前,会有一个"警告"或者称为前兆冲动。儿童有一扇机会之窗,应用习惯改变疗法,抵制身体冲动,并且尝试着让它过去。重要的是,10岁以下的儿童,相较于复杂的动作抽动(有多个动作或者多组肌肉参与),简单抽动(一组肌肉参与)更难于被警告或者出现先兆冲动,因为它更加自动化,更难于控制。

患有动作抽动或者发声抽动的儿童,被诊断为短暂性抽动障碍(抽动几乎每天发生,持续至少4周,但不超过一年)或者慢性抽动障碍(抽动发作持续一年以上)。若儿童有多种动作联合抽动或者发声抽动,并且此症状持续一年以上,其中发作间歇不超过3个月,则被诊断为图雷特综合征。

有确实证据可以证明抽动障碍有遗传成分。它们可能是由神经递质多巴胺过度敏感引起的。多巴胺用来控制动作,并且生成基底神经节。基底神经节是大脑的一部分,主要用来控制行为。抽动障碍的一个子类型叫作短暂性抽动障碍,它的产生就有可能是神经系统发育不成熟导致的。

患病率及进程。大部分患有抽动症的儿童开始于6~7岁,症状是简单的抽动动作,例如眨眼。通常发声抽动障碍出现在8~9岁,随后在11~12岁,儿童会出现更多的抽动障碍与强迫症的混合症状。大约50%患有抽动障碍的儿童会出现强迫症的症状。尽管在儿童早期,抽动障碍情况有增有减,在青少年中期达到最大强度,但随着年龄的增长,到了青少年晚期及成年期,强度会逐渐减弱。有60%

的儿童会看到他们的抽动障碍明显减弱。尽管各项研究的估计不同，接近 24% 的儿童经历过抽搐障碍，但是大多数的表现不明显，未达到诊断标准，不需要治疗。患有慢性抽动障碍的比例是 0.5%~1%。在小学期间患有抽动障碍的儿童中，10%~20% 为男孩，2%~10% 为女生。

| 拔毛症 |

什么是拔毛症？ 拔毛症由来已久，距今已经几百年了，但是被大众所熟知是在 1989 年之后。它被认为属于强迫症范畴，因为它与强迫症的强迫行为及完美主义很相似。拔毛症属于神经病学范畴，儿童对于错误的大脑信号进行反应而拉拽头发。它可能与陈旧的环路出错有关系。这就好像是人感觉痒就有抓挠的冲动一样。想象一下，儿童拉拽头发会感觉到头皮的麻刺感觉。有些头发可能会有不同的外形及感觉，长些的、短些的、厚些的、发根粗些的等等，这些不同的感觉对于患者来讲就像是草地上孤独的蒲公英。如果他抑制这种冲动，这种感觉就会让他心烦。当他拉拽头发的时候，紧张的感觉就会减轻，就好像你终于够到了身上的痒处，感觉到抓挠过后的舒服感了。但是与痒的感觉不同，拔毛症儿童在短暂的轻松过后，会感到紧随身体损伤而来的羞愧和内疚感。

拔毛症患者只在乎此刻，而不关乎后果。有时程度很轻微，包括给头发绕结。在拔毛症发作的片刻，就好像除此之外一切都不重要了。这是拔毛症跟患儿要的一个小把戏，因为在这种感觉之后，儿童会花 10 分钟时间完成"漂亮又完美的拉拽动作"，他感觉轻松极了，但随即他就会感觉恐惧、内疚和羞愧。

患病率及进程。 典型的拔毛症开始于童年期，尽管有些儿童的拉拽习惯会随着年龄增大而消失。但是对于其他儿童，在儿童的晚期，这种习惯就会发展成为一种障碍症。大学生患拔毛症的比例在 1%~2%；目前还不清楚幼童患拔毛症的状况。患有拔毛症的儿童更可能同时出现一些抽动障碍，例如扭动关节或者咬指甲。

我们接下来会看到拔毛症的干预方法，找到引起拉拽动作的诱因，延长冲动与行为之间的时间，并且使用习惯改变技巧找到干扰拔毛症的替代行为。

对不好的习惯和无意识的行为 "喊停"

这一部分，我们会探讨习惯改变疗法，这个概念是 20 世纪 80 年代由心理学家内森·阿兹林（Nathan Azrin）和格雷戈里·纳恩（Gregory Nunn）引入，作为认知行为疗法的特殊类型，专门治疗一般的儿童期习惯，例如咬指甲、吮吸大拇指，同时也用来治疗拔毛症和慢性抽动障碍。这种方法已经研究了几十年，并且根据习惯改变疗法决定因素的研究结果，方法正在不断改进。药物也可以被用于抽动症、图雷特综合征和拔毛症的治疗。因为本章主要关注的是行为疗法，因此不对药物治疗进行讨论。

对不好的习惯和无意识的行为 "喊停"。习惯改变疗法的基本原理是让人对习惯和相关行为加强意识，你可以通过训练自己停止这种行为，也可以通过参加更多可接受的社交活动而替代它。当孩子正处于冲动状态时（要眨眼或者要拉拽头发），他可以将预警标志当作抵抗习惯行为的线索，并做出不良习惯动作的替代行为，这样就将之有效地阻止了。例如，儿童可以用攥紧拳头的动作代替抠指甲；用缓慢的深呼吸、吞咽动作或者嚼口香糖来代替清嗓的动作。患有拔毛症的儿童可以用拉拽橡胶线球的动作代替拉拽头发。对于有轻度习惯的儿童，这些步骤可能更随意些，但是对于根深蒂固的习惯，这些步骤还需要加入更加系统的针对性训练，包括训练新的肌肉来代替习惯动作或者抽动中所用到的肌肉。很多研究都记载了习惯改变疗法的有效性，尤其对于拔毛症及抽动障碍中的不同习惯行为。在加州大学最近的研究中，约翰·佩森提尼（John Piacentini）博士及他的同事发现，对于患有图雷特综合征的儿童，习惯改变疗法效果显著。他们的研究强调认知策略，以此来提高早期的识别，标示抽动冲动，并将之与其他的冲动行为和想法区别开来，用抵触的行为来抑制抽动的发生，并且通过使用塑造程序降低抽动行为的显著性。

预期：尽其所能地制止。儿童及家长需要清楚地了解这些障碍的本质，联合起来帮助儿童更有效地控制行为。务必要让孩子了解到，他们不会因为这些习惯行为而受到责备，他们可以学习有效的技巧来克服。家长不要只注意到儿童的抽动障碍，而是要让他们尽量制止这种行为。同样地，当儿童主动打断拉拽动作，或者对抗拉拽冲动的时候，拔毛症的行为被制止了。

他们的烦恼是什么？ 最好让儿童在行为方案中最大限度地配合，其中最有效的方法就是帮助他制订一个"烦恼清单"，弄清楚不良习惯如何使他烦恼，对于习惯行为，为什么他想要更有效控制。举例来说，抽动障碍可能会干扰他的注意力，拔毛症可能让他远离游泳，因为他无法掩饰自己稀疏的毛发。在这一阶段，讨论一些可行的奖励，或者对新行为进行强化。

| 第一步：增强意识 |

很多儿童可能意识不到自己的不良习惯动作。这样让习惯乘虚而入，儿童毫无察觉。当儿童看电视、打电话，或者坐在教室里上课的时候，他们的思维被各种各样的内容充斥着，根本无法注意到他们的手在干什么。这也是为什么如此设置习惯改变的第一步，即首先要追踪不良习惯动作的诱因，增强对习惯动作出现的情境的意识。对于拔毛症，诱因可能是压力、无聊、愤怒或者疲劳。诱因也可能并不明显，通过询问儿童问题，能增加他们对行为的意识，可以让儿童注意一下抽动在什么情况下发生，或者冲动的标志如何出现，在何处出现，接下来发生了什么。

FREEING YOUR
CHILD
from ANXIETY　**焦虑心理学**

儿童意识训练技巧

- 注意习惯行为最早出现的标志。
- 对着镜子，用慢动作的方式，看看习惯动作是如何发生的，注意制止动作。
- 对于拔毛症患者，观察自己拉拽了身体的哪部分毛发？是否使用了工具（镊子等）？

- 通过自我监察，确定不良习惯的诱因及频率。并在纸上记录：情境（在教室里感觉无聊、等待考试、跟妈妈吵架后躺在床上），感觉，冲动的强度（从 0 到 10），制止行为。
- 儿童可以每晚与家长沟通，回顾一下白天的情况，通过检查睫毛和指甲，看看孩子的进步，或者讨论一下难改的抽动动作。这个过程需要家长的支持和技巧，"这个问题，明天你要如何解决呢？"不要对儿童进行惩罚，家长也不要对儿童的症状表现出心烦（这种心情是需要表达出来的，但不是对这孩子）。

│第二步：替代反应训练│

对于习惯动作或者自动的行为，儿童可能需要建立新的阻止动作和肌肉组，并且学会新的技巧，在需要时信手拈来。接下来我们将讨论如何确立不良习惯的替代反应，以及如何练习。找到最适合儿童的练习模式。练习应该简短一些，一般是几分钟，不管是做放松训练，还是上演对抗抠指甲的情景剧，这个过程都要充满乐趣。不经过练习，情况是不会好转的，但是要切记，不能急于一时，急功近利的方法更容易功亏一篑，家长也不能指望儿童每天都开开心心地进行这种练习。要鼓励儿童练习，而不是施加压力。下面我们会介绍 4 种制止习惯动作的方法。

挤柠檬。手紧紧攥拳，就像手中拿着柠檬，在挤柠檬一样，保持 1 分钟；手松开的时候，儿童会感觉很轻松，用这种轻松感来代替拉拽或者抽动所带来的紧张释放感。

矛盾反应。让儿童对着镜子，慢动作地演示抽动行为，这样你和孩子都可以观察到如何制止这些动作。这不再是尴尬的时刻，而更像是物理实验。如果朝着这个方向努力，我们要如何停止或者重新设定方向呢？扭脖子或者耸肩的动作，可以被手支撑下巴的动作去取代，这个动作有点像"思考者"姿势的改良版。清嗓的动作可以被深呼吸、吞咽动作，或者嚼口香糖的动作打断。按压肚子的动作同样可以被缓慢的深呼吸所取代（要同时呼气和吐气是很难的），或者让儿童两个胳膊在胸前交叉。对于舔嘴唇的动作，可以将他的嘴比喻成一个棒球内场，不要环绕整场，教会孩子用舌头接触内场，回到"一垒"，最终他就可以停止舔嘴唇的动作了。以吐舌头为例，他可以描绘一个窗户影子，不要猛劲地将阴影拉出来，而是缓慢、轻柔地拉拽。当儿童有触摸某人的不恰当冲动的时候，可以放一块砂纸在他的衣兜里，冲动出现的时候就摩擦几下，直到冲动消失为止。

待在危险地带以外。 如果你在减肥，那么最好不要在甜甜圈商店附近转悠，为什么要诱惑自己呢？当我们试图要改变习惯的时候，儿童不应该把他们的手放在危险区域里。如果她患有拔毛症，或者患有转玩头发、挖鼻孔的抽动障碍，那么他的手一旦高于肩膀，头脑中的警铃就应该要"嘟嘟嘟"地响起来！因为他一抬手，就会忍不住去重复他的不良习惯动作。儿童可以让父母做提醒，当家长一看到孩子有危险动作时，就"嘟嘟嘟"地发出警告。看到儿童就范，相较于劈天盖地的教训，家长更明智的做法是扔给孩子摆弄工具（接下来会解释这是什么）。

准备就绪工具。 在问题发生地点的附近，放置一些摆弄工具，也可以放在儿童的衣兜里。这些工具可以包括橡胶毛球、弹力玩具、毛线球、橡皮泥、镂空小球、黏土，任何不分心的、好摆弄的玩具都可以。最基本的原则是摆弄工具不能比要求集中注意力完成的任务更有趣。对于拔毛症来说，摆弄的选择可能包括玩娃娃的头发，摆弄纱线、鞋带，抚摸光滑或者粗糙的鹅卵石，将包装纸捆在一起，折断生的意大利面条，拉拽牙线等。

纠正拔毛症的附加方法：让拉拽更困难。 以下物品不仅妨碍拉拽，而且可以让儿童知道，什么时候手指在危险区域：

- 创可贴、手指上粘胶带、橡胶手指套，或者戴手套，这些都给儿童警告，并且让拉拽动作变得更难。
- 带铃铛的手镯或者护身符，让儿童知道自己的手正往哪里放。
- 护手霜让手指变得更滑，这样就更难抓取东西。
- 保持头发潮湿或者完全不冲洗护发素，这让头发更润滑，不易拉拽。
- 长指甲使儿童的拉扯动作变得困难，假指甲也可以作为奖励，作为成功控制不良动作的回报。

● 戴帽子、头巾或者大手帕可以让触碰头发的动作慢下来，并且让你的孩子有更多机会与这种习惯对抗。

常规练习。在非抽动障碍发作的时刻，我们有很多方法来练习替代反应。一般来讲，每天的练习由几部分组成，首先让孩子想象冲动，然后演练把手从头发上拿开（对于拔毛症患者来说），使用吞咽动作或者平静的呼吸来对抗清嗓的抽动障碍，或者尝试着挤捏橡胶毛球，用这个动作代替抠指甲。发号施令的谈话在这里也可以练习。这些演练不用花太长时间，几分钟就可以，但是要定期练习。另外，你也可以给孩子设定"无习惯动作时段"，在这段时间里，儿童可以练习制止问题行为。

● 可以在白天或者晚上，每天设立特定的时间为无习惯时间，开始时可以设置 15 分钟（最好是每天的同一时间，例如在播放孩子最喜欢的电视节目的时候）。要确认儿童的摆弄玩具已经准备好。当你的孩子可以掌控这 15 分钟的限制时间时，再以此为基础逐渐将时间加长。

● 儿童可以将学校的某个时段设置为无习惯时段。从最小的挑战开始，最好是从较少问题行为的课堂开始。当你的孩子在这个课堂取得进展后，可以在他的挑战清单中加入其他的课堂。

│这是谁的手指、头发和脖子呢│

对于家庭来说，习惯动作、抽动障碍和拔毛症可以成为一个战场。儿童可能感觉他们的父母正在尝试着控制他们，父母感觉他们的孩子并不打算自救。在这些情况下，这本书提出的模型就有用武之地了：对反应环路进行命名和谴责，并且对大脑发号施令。弗雷德·彭泽尔（Fred Penzel）博士是习惯改变方面的权威，他表示儿童越多地采取这种立场，"我并不是这样的，这只是我的行为"，那么他们就越能感觉出强大的冲动远了一步。家长在这种问题的认知上，有很大促进作用。

给予孩子支持和工具，来对抗大脑发出的推、拉拽、抽动性质的指令，这样可以降低紧张感和斗争力，因为儿童可以通过这种方式重新获得控制手、头发和其他任何事情的能力。但是仍然有个问题有待解决，那就是确认儿童是否愿意利用这些方法，还是想要等到自己准备好的时候独自面对。一般来讲，你不想像魔术师那样大出风头，也不想让儿童将治疗看成是一种惩罚。如果你可以将这些技巧、方法呈现给孩子，并且让他看到行为治疗的作用，这样当然是最好的，他可以自己决定何时以及如何应用这些方法。奖励当然有一定的帮助，但是最终你的孩子要感觉到不良习惯动作的问题很严重，并且愿意付诸努力去改变。有时，当孩子知道并不想要努力改掉这些行为的心态是正常的，儿童会感觉好些。如果他们去治疗师那看病，治疗师能够理解他们为什么不合作，并且不强迫他们，而是让孩子自己决定，那么等他们愿意去接受治疗时，会永远有一扇门为他们敞开。

你不能奢望儿童改变太多，超出他的能力。最重要的事情是让他感觉被赋予了权利。如果你强迫他改变，坚持让他去治疗，那么让他感觉拥有权利的唯一方式就是要反对你。如果儿童感觉你理解他，站在他这边，那么他就更加自在，坚持自主地解决问题，而不是抵制解决方案。这件事情说起来容易做起来难，如果你处在这种情境中，你也需要很多的支持。我们可以联络在线的支持小组，或者亲自去寻求帮助，对自己作出调整。

家长面临的挑战

看到孩子痛苦，家长也会非常心疼和头痛。尤其是知道儿童被这种情况折磨，并且遭到他人误解，更大大加深了家长的痛苦。当家长发现自己或直接、或私底下像陌生人一样的反应时，他们的痛苦中又夹杂着愧疚。如果你是这样的家长，那么从痛苦中解脱出来，告诉自己这是很正常的反应。这种感觉实在让人不轻松，那么首先要平静下来，尽可能多地了解孩子现在的处境，并且找到对这种情况的合理解释，并对自己、也对那些不理解的人诉说。你可以说："我的孩子患了神经障碍，在医学上叫作拔毛症（或者图雷特综合征）。他自己没有办法，但是正在努力学着控制自己的行为，所以，如果你不盯着他看，对他会很有帮助。如果你有什么问题可以问我。"宾夕法尼亚图雷特综合征协会有免费的双面卡片，专门针对这些情况，解释孩子是患有神经障碍症，孩子的动作并不是故意的。你也可以帮助你的孩子为自己的问题准备一句。有的儿童可能会觉得这么说最好："我就是有这个问题，而且正在努力克服。"《回归常态：关于强迫的回忆录》(*Passing for Normal: A Memoir of Compulsion*)的作者埃米·威伦斯基(Amy Wilensky)建议儿童可以将行为正常化。"我有时候会有抽动行为，就好像有些人会咬指甲，有些人转玩头发，这没什么大不了的。你有什么神经紧张的习惯吗？"

焦虑的孩子

约翰 VS 梅兰妮

约翰患有图雷特综合征，他是一个聪明而且极具创造性的孩子，在他9岁的时候，就极力地尝试劝导自己。他完全了解神经生物学条件的不稳定性，他知道有些日子是抽动前的平静："当我意识不到我自己的时候，那就是美好的一天。"另一些日子，用约翰的话说，"只剩下撕拉"，这意味着他不能控制自己的撕拉动作，撕拉鞋，有时是地毯，还有时是挠头皮。

约翰在学校度过了艰难的一年，他费尽心思寻找空间，实施他不能控制的抓扯动作，后来老师的工作奏效了，同学们对于约翰的需要都给予了很大程度的理解。当他抑制不住抽动动作的时候，他可以走到教室里安静的区域让自己平静，甚至只需要走一走就可以稳定下来。这种极微小的适应帮助他最大可能地集中注意力，并且参与到学习当中。约翰同时也需要其他同学的帮助。他不知道该如何跟其他同学解释，他不是有意要打扰到别人，或者对他们不礼貌，但是他无法控制自己。约翰的老师向他的同学解释并许诺，约翰正在努力克服和控制自己的行为，这不是约翰的错，他的那些动作都是无意识的，并不是轻易能控制的。约翰的学校知道如何帮助他和家长找到自信，知道每天坐上班车的时候，让约翰先找到安全的地方，大家都理解他，并且一路帮助他。

梅拉妮是一个自信、有能力、直率的大学生，她的拔毛症历史可以回溯到初中。她记得拔毛动作可以让她感觉轻松，从紧张中解脱出来。

一切似乎都超出了我的控制范围，而且我猜事情确实是这样的。我记得七年级时的一天晚上，我们全家正在度假，我躺在床上，思考着回到家后上学需要做的事情。焦虑占据了我的身体，我感觉招架不住了。这种焦虑感远远超过了我能控制的范围。我开始触摸右眼角上部的睫毛。我轻轻地拉，然后一点点用力，最后把睫毛拔下来了。虽然有点疼，但是我仍然感觉这让我很舒服、有轻松感。第二天早上，我的上睫毛都被拔光了。我很窘迫，知道人们会注意到这点。我想要找借口，但是最终我还是选择了回避别人的目光接触。

我过去常常在晚上坐在床上，想我是唯一一个会做出这种事情的人。那种感觉实在太糟了，非常孤独。我开始讨厌我的手指、我的手，并且尝试着让自己不再做任何拉拽动作。当我照镜子的时候，我哭了。我已经心力交瘁。我为什么要对自己做这样的事情？我为什么停不下来？当我们去寻求治疗的时候，我知道了这并不是一个必经的成长阶段，也不是缺点，而是一种障碍，这让我感觉好多了。至少这意味着我不是怪人，我可以学会控制这种行为的方法。

现在，我已经学会了如何平静下来，如何控制我的拔毛冲动。我找到了对我行之有效的方法，并且知道在我需要的时候如何运用这些方法。我尝试着表达为什么感觉沮丧，而不是用拉拽的方式解决问题。自从我接受了拔毛障碍治疗，我已经改变了很多。我不再为自己的问题而感到沮丧；我不是那个样子的，我必须要悉心照料一些事情。我知道我必须要时刻注意我的拔毛障碍，不让自己的情况变糟，但是现在我已经学会了爱自己，接受自己。当我照镜子的时候，看到镜子里微笑的我，我觉得非常骄傲。

12

悲伤的孩子
从急性应激到创伤后应激障碍

> 　　查利发生车祸的时候只有 5 岁。他害怕极了，昏了过去。现在他很害怕出门坐车，甚至有时候他在路边走，有汽车驶过的时候，他会赶紧跳开，就好像这辆车会撞到他。而且他的恐惧并没有消减的迹象，我感觉我们让他直面此事，反而使情况变得更糟，但是我们总得做点什么吧。
>
> 　　在我妈妈去世的时候，我的儿子刚好也在场。他看到了她奄奄一息的样子，看着医护人员、救护车疾驰到医院。他不想谈论此事。他哭着跟我说他受不了。他担心自己会停止呼吸。他做噩梦但是并不跟我说梦的内容。这个可怕的经历好像被他冰封到头脑中，他不想让我们帮他走出这个境地。

　　我们都相信"时间可以治愈一切伤痛"，但是作为家长，我们知道这句格言是有其局限性的。那些从事故中幸存的儿童，他们经受着看不见的伤痛，如果这些痛苦没经过恰当的治疗，会伴随他们的一生。对于家长来说，最残酷的事情莫过于不能保护自己的孩子免受伤害。我们的生活中，充斥着各种虐待行为、恐怖主义、目击死亡、他人受伤以及各种潜在的创伤。正如《儿童与心理创伤》(*Children and Trauma*)的作者辛西娅·莫纳汉(Cynthia Monahan)博士写的："当家长突然面对自己孩子的心理创伤时，他们被迫作出反应，就像是家长的殷切希望和信仰遭到冲击。"无论是心理治疗还是药物治疗，都不及家长无条件的爱更加有效，爱可以促进受伤孩子的治愈，以及方方面面的发展。家长要做很多事情来帮助儿童克服创伤经历带来的伤害，一旦儿童了解了心理创伤起作用的原理，发现创伤的自然来源，儿童就可以成功地处理创伤经历。

从心理创伤研究中，我们了解到，它的组成就是危机处理和记忆沉淀。我们帮助儿童治愈心理创伤的一般方法就是处理创伤本身，并且教会孩子如何处理令人恐惧的创伤症状，例如病理重现、噩梦、肾上腺素激增。本书并没有探讨创伤的所有类型，这一章节只是一个开始。它主要呈现了处理创伤问题的一般框架，包括如何跟孩子解释创伤经历，如何在家里帮助孩子处理这类问题，以及你的孩子何时需要寻求专业治疗。

心理伤痕：经历创伤事件之后

在美国心理学会的《精神疾病诊断与统计手册（第四版）》（DSM-IV）有关创伤的定义中，创伤是指经历了突发的或者潜在的危险事件，如导致死亡、严重损伤或者造成某人身体不健全的事件。同时它也指出了儿童的反应必须是强烈的恐惧、无助、惊骇、紊乱及焦虑。长久以来，人们一直认为儿童对创伤有免疫力，他们的年幼无知就像是一个保护屏障，因为不能完全理解创伤事件的影响，也就不用对其作出足够的反应。尽管大多数孩子可以从创伤经历中走出来，不会造成终生影响，但是其中 1/4 的儿童却患上创伤后应激障碍。我们将儿童对于事件的不理解，作为他们的一种免疫能力，但也正是这种免疫能力将儿童置于危险之中。

为了改变儿童的想法和感觉，首先要让儿童确定自己面临创伤事件的所想和所感。在这个过程中，家长起到了很大的作用，因为儿童可能无法清晰表达自己的痛苦。想象一下儿童是如何用间接方式表达饥饿或是疲劳的，你就会了解，在他们处理突发的惊吓或者痛苦时，他们也不会用语言直接表达，而是通过行为上的改变来传达他们对此事的感觉。

创伤反应的危险信号

对于创伤事件每个儿童的反应可能都是不同的，但所有儿童都显示出了行为和情绪上的明显改变。年龄很小的儿童可能不会表现出典型的创伤后应激障碍的症状，因为大多数的症状都需要他们内部状态的言语表达。婴儿、幼儿、学龄前儿童缺乏言语能力，因此他们的表现为如厕意外、黏人、不能动、烦恼、情绪反应缺失、广泛的恐惧和焦虑、分离焦虑、睡眠障碍等。年龄稍大的儿童可能会对创伤事件的重现感到焦虑和恐惧、觉醒过度、有意象干扰、关注事件的个人反应，还会表现为身体疼痛、睡眠障碍、进食障碍、噩梦、失去做事兴趣、行为的倒退及停滞。

《精神疾病诊断与统计手册（第四版）》确定了两种主要的与心理创伤相关的诊断。两种诊断都特别指出：儿童对创伤事件的最初反应包括强烈的恐惧、无助、惊恐、紊乱、焦虑的行为。急性应激障碍是立即反应的，是一种感觉麻木、疏离的情绪体验，而创伤后应激障碍可以在创伤事件后持续一个月甚至是几个月，并且伴有高度的警觉、过度的情绪反应以及创伤事件持续被再度体验。儿童的创伤性症状发展的关键是：即使是在无人受伤的情况下，也能感知到生命的威胁。对生命威胁的感知，可以解释为什么有些儿童在千钧一发之际免遭劫难，但仍然发展成为创伤后应激障碍或者急性应激障碍。

心理创伤与大脑

尽管创伤后应激障碍被认为是一种焦虑症，但是它的症状却在很多方面有别于其他焦虑障碍，其中一个主要的区别在于创伤后应激障碍是对一个真实事件的反应。我们对心理创伤的直观理解是正确的，那就是记忆虽然被封存，很难提取，但是一旦遇到与创伤事件相似的情境，记忆就被唤醒了。科学家们对创伤后应激障碍进行研究，他们假设创伤记忆被印刻到各种感觉和情绪当中，并且随着时间仍然保持稳定，不被人生经历所改变，保持静止，就好像是照片一样。这与大脑处理非创伤记忆的过程形成了鲜明的对比，非创伤记忆是通过含义来编码的，对于新的经验可以通过原理图解以及叙述的方式来修正，这是动态的过程，类似于故事。创伤记忆是零碎的、非语言表达的，由身体各种生动的感觉来体现，例如颜色、声音、气味等。

对于创伤幸存者来说，非言语的治疗方法更加有效，包括眼动脱敏与再加工疗法、游戏、舞蹈、艺术疗法等。因为儿童没有做好交谈的准备，与交谈疗法相比，上面提及的那些方法在提取记忆的有效性上更胜一筹。大量的实例已经证明：这些方法对于解除心理创伤羁绊非常有效。在我自己的工作中，我发现试验疗法与认知行为疗法结合效果很好，例如艺术疗法或者眼动脱敏与再加工疗法结合放松练习、反曲解思维、系统脱敏以及暴露疗法，这些可以加快症状的消失。

寻求专业帮助

如果儿童的症状开始干扰他的身体机能，或者导致他明显痛苦，那么就应该进行专业的治疗干预。治疗心理创伤的主要目标有 3 个。第一，症状本身会引起儿童的恐惧和困惑，首先要帮助儿童在他们的层面理解这些症状，让他们了解到引发症状的原因，以此来降低恐惧和焦虑。第二，引发创伤记忆的情境出现时，为了降低突如其来的症状所带来的痛苦，先要教会儿童呼吸和放松的技巧，这是它们对抗痛苦的法宝。第三，帮助儿童将原来零碎的、分散的恐惧记忆转化成为可以叙述的故事，这个故事要有开始、中间情节和结尾。通常情况下，开头和中间部分在他们的头脑中是很鲜活生动的；结局部分是关于经历创伤的人们的疑难问题，他们会渡过难关，终结创伤，找到解决方法。在治疗中，达到儿童感知的极限点是至关重要的，这样会让儿童重新感觉到生活是有意义的，即使发生一些不愉快的改变，生命依然是完整的。

|如何向儿童解释心理创伤|

家长要跟儿童解释心理创伤的预警症状，安慰儿童这些症状是很正常的，并且可以控制。对于其他焦虑症而言，儿童可以通过重新标识症状的方法，对焦虑大脑进行发号施令，最后终结焦虑，而对于有创伤经历的儿童，他们要采取的方法是像对待朋友一样对待大脑。儿童要知道，大脑通过影像和信息的闪回方式来整合一切，因为这些事情太令人不知所措了。有心理创伤的儿童需要保留这些影响，并且允许大脑将故事拼凑起来，变得有意义，而不是采取中间阻断的方式，或是让零碎记忆和痛苦经历，来也匆匆，去也匆匆。

以下的脚本，可以帮助儿童理解他们所承受的心理创伤的症状和体验：

我们的大脑帮我们自身理解和消化艰难的经历和体验。你可能会尝试着远离那些让你想起心理创伤的事物，甚至不想谈及它们。你也可能感觉到你再也不会感觉好些了，这些想法都是正常的。尽管你无法改变既定的事实，但是经过时间的洗礼，你会发现你可以承受并且好好生活。现在我们需要帮助你感觉安心和坚强，当你觉得准备好应对这一切的时候，我们就可以一起来面对这些可怕的画面。我们会尝试着一次面对一个。

起初我们可能会对一些事情感觉悲伤，例如你的朋友取笑你，或者你的宠物仓鼠死掉了，但是过些时候甚至第二天我们就会感觉好些了，有可能都忘掉了这些事。对于大多数常见的失望和悲伤，系统都会很好地应对。但是当一些非常恐怖或者极度悲伤的事情发生时，我们的感觉太强烈，记忆量太庞大，我们的身体无法将这些在一天之内消化掉。这是一个庞大的工作，有时候感觉关闭了，我们感觉麻木，好像什么事情都无关紧要。有时候悲伤的感觉会转变为愤怒和挫败的感觉。当你想着这件事的时候就会感觉紧张、悲伤和恐惧，就好像看恐怖录像一样，录像带被卡在了最恐怖的情节那段，不停地重播。这一切其实都是正常的。在你了解原理之后，你就可以修复你的思维，在恐怖影像再次出现的时候加以控制。

│症状的缓解│

放松方法。要治疗有创伤经历的儿童，治疗师需要在第一个治疗阶段教给他应对技巧，儿童要能应对可能突发的生理症状；还要应对此阶段出现的焦虑。当治疗师教给儿童腹式呼吸的时候（参见第4章），可以适当让儿童加入安全场景的想象。有时候当患有创伤后应激障碍的儿童放松的时候会感觉焦虑，这时可以想象着描绘一些舒适、平和的场景，例如海滩、山景或者是母亲温暖的怀抱，用这种方法可以避免焦虑。治疗师一定要确保儿童在面对创伤情境前，学会呼吸和放松方法。为了获得最大程度的放松，儿童应该进行自我交谈，用这种方法将自己重新引导到当前："我现在是安全的，没有什么不好的事情发生，一切都是过去的事情了。"

药物。尽管创伤后应激障碍是外部事件导致的结果，但是药物可以帮助儿童减轻焦虑觉醒水平、减轻痛苦和睡眠障碍以及与此相关的抑郁情绪。这些药物包括选择性血清素再吸收抑制剂和速效抗抑郁药物（参见第3章）。虽然目前对这些药物的益处估计略显保守，但是这些药让儿童能够去上学、晚上安然入睡。

认知重组及逐渐暴露法。按照儿童的步调，治疗聚焦于心理创伤故事的重组。这个过程在治疗中持续进行，起点就是儿童要回忆自己的病例闪回的内容，对自己的各种想法进行列表。在此过程中，治疗师的作用就是做一个倾听者，不要给儿童建议或者加入儿童透露的信息以外的东西。儿童对事件的感知通常表明，他们对于不利事件的责任的歪曲理解。"如果我没有如此迫切地想要这个娃娃，那么妈妈永远也不会去商店给我买。我知道今天天气不好，我应该阻止她的。"非常重要的是，治疗师要尽量让这个过程正常化，要向儿童解释，好孩子都非常希望能控制事态的发展，并且为事情发生的因果承担过错，不论他们的归因是否适当。我们的目标就是帮助儿童对不能控制的事情进行准确的归因。对于创伤后应激障碍的儿童来说，认知行为疗法的其他步骤，包括制订克服病理闪回的方案（自我谈话、呼吸训练、暂时离开此情境），确定引发和提醒儿童焦虑的事物或者情境，并为此制订克服方案，最终制订一个关于创伤经历的刺激等级表，使儿童逐步接近等级表中所列的创伤情境。首先是通过想象来接近，之后，在适当的时候，实地进行。举例来说：对于经历过车祸的儿童，首先要在办公室对车祸事件的各方面进行系统脱敏练习，使用放松的、现实性的思维方式来克服此情境引发的焦虑。一旦儿童可以成功脱敏，也就是对创伤情境不敏感了，那么治疗的焦点就可以转到接近触发情境上，例如驾驶一辆相似的汽车，或者去车祸发生的地点。治疗必须要保持在儿童可以接受的步调，不要让儿童感觉不舒服。对于任何焦虑症来说，欲速则不达。

接下来，我们可以看到在创伤后应激障碍的治疗中，家长的作用至关重要。在儿童的认知行为疗法中，家长将会学习如何解释创伤症状，并且参与到克服症状的方案制订中，指导儿童并且在暴露疗法中陪伴儿童度过。因为家长承载着儿童的痛苦，因此，在必要的状况下，家长也需要支持，并且他们对于创伤经历自身的治疗直接或间接地影响自己。

治疗的时限。创伤的严重程度不同，所应用的方法也不同，并且儿童要有参与治疗的意愿。有很多儿童在接受了几个月的专业治疗后都有了明显好转。

即使治疗已经成功地完成，儿童仍然可能随时再次承受创伤后应激障碍的痛苦，例如：一个经历过车祸的儿童，可能会感觉乘坐校车是很痛苦的事情，或者驾驶是很困难的事情。遭受过性虐待的儿童可能会对青春期时男孩的追求表现得很抗拒。经受创伤后应激障碍困扰的儿童很可能需要不间断的治疗。在 2000 年，关于创伤后应激障碍最先进疗法的评论指出：对于需要持续治疗的儿童，"灵活的治疗安排"效果要好过每周限定次数的疗程。这种灵活不定时疗法直到儿童需要进一步的治疗时才可短期停止，例如儿童症状增加或者出现发展性的转变。这种时间安排的好处是儿童可以与治疗者一直保持联系，并且对自己的能力感到自信，在需要的时候再进行治疗。

眼动脱敏与再加工疗法。尽管我们对于焦虑症的治疗焦点放在认知行为疗法上，但是仍然存在其他方法有希望治愈儿童的创伤障碍。眼动脱敏与再加工疗法就是由治疗创伤后应激障碍的心理学家芙朗辛·夏皮罗（Francine Shapiro）发明，与认知行为疗法相同，这种方法通过回顾创伤事件的各方面，让儿童可以逐渐接受和面对自己的创伤。

在眼动脱敏与再加工疗法中，患者被要求回忆创伤经历，并且眼睛要跟随着治疗者的手指来回移动，或者是治疗者交替、有节奏地拍打儿童的手。眼动脱敏与再加工疗法的原理是眼动或者拍打模拟了快速眼动睡眠的过程，促进了深层信息加工的能力，这种能力是在我们经历痛苦的时候体现出来的。

目前对于儿童眼动脱敏与再加工疗法的功用还没有足够的实验证明，但是确实有证据表明这种疗法是有效的。在眼动脱敏与再加工疗法中，儿童被要求集中注意想象创伤经历的场景，在最困难的时刻，伴随着眼动，这些图像好似渐渐淡化，甚至发生了改变。儿童对于此类场景会逐渐不敏感，并且对于创伤情境的理解发生变化，或者说是对经历的场景有了新的"注解"。这种注解可能会由原来的无助感（在场景中感觉害怕）转变成儿童斗争的胜利，这有助于强化儿童自身的感觉。在其他的例子中，注解可能是儿童在情境中的自责转变成意识到自己与事件的发生没有关系。在这些注解的例子中，经常都是以"这是不对的，但是这并不是我的错"来作为结局，这种强化有助于儿童最终克服心理创伤。

│家长须知│

鉴于创伤治疗的专业性工作性质，家长在这个过程中要承担什么角色呢？在有效地树立榜样、实在地付出努力到克服创伤情境和安慰儿童之间有一个平衡，要安慰儿童无论作出何种反应，他们的行为都是可以接受的并且是安全的。不论孩子是在哭泣，还是大笑，记得儿童对于创伤情境的反应都是正常的。家长要清楚一点，如果你的孩子开始伤害自己或者他人，那么要对孩子提出限制的要求，要求的提出是有技巧的、要充满爱的。可以通过不同的方法帮助儿童摆脱可怕的感觉。

儿童应对冲突压力的表现，很大程度上来源于家长或者其他成年人的表现。这样说可能会更清晰，在任何创伤情境中，家长处理危机的能力是至关重要的。这个过程还包括一些很重要的方面，包括：

- 恢复家长应有的安全感和权威感。让你的孩子知道，你将掌控局面，并且好好照顾他。
- 纠正自责的错误知觉。
- 对于创伤经历进行正确的归因，应用尽可能多的、必要的、事态发展的适当信息。
- 尽可能快地恢复正常作息时间，包括规律的睡觉时间和用餐时间。尽管家长觉得最好给孩子多些空间，但是儿童会将这种变化看作是生活永远回不到从前的标志。这让他更难预测某天会发生什么事情。尽管一切在表面看都近乎完美了，但最终儿童会感觉紧张，因为事情变得没有规律，缺乏秩序，这都是儿童成长过程中尽量要避免的。

第 15 章会谈到更多关于儿童心理创伤以及真实生活中的应激源的话题。

本章节我们确定了帮助儿童摆脱创伤事件影响的主要因素。创伤事件是很复杂的，每个情境都代表了它自身独特的挑战。感兴趣的家长可以对此进行进一步的了解，针对儿童的心理创伤的特殊类型进行相关的阅读。

焦虑的孩子

迪莉娅的创伤时刻

迪莉娅在 9 岁的时候目睹了一件不寻常的创伤事件。在社区剧院的戏剧表演中，坐在迪莉娅正前方的人突然失控，开始叫喊，狠命地攻击坐在他旁边的人。她当时受到了惊吓，不假思索地跑出了剧院。她的父母也被这突如其来的事件吓到了，但是他们更关心的是女儿的反应和安全。迪莉娅处在震惊当中，感觉恐惧，一直哭泣，谁劝也不听。后来警察和救护车赶来了，将受伤的人送往了医院，并将袭击者送到了精神病院。

在这个事情发生后，迪莉娅就害怕去任何人多的地方，例如教堂、学校集会、运动会、咖啡店举办的小型音乐会。迪莉娅只要一想到这些场景，就会立刻感觉有人会因为紧张和狂乱而失控想要杀了她。她几乎不能参加家庭活动，即使参加了也会感觉极度的焦虑和紧张。她会扫视人群，看看是否有看起来不稳定的人。她会环顾四周查看是否会有人失控，周围人有任何小动作她都会马上跳开。当她听到救护车的声音会非常害怕，如果有人咳嗽，或者有东西掉在地上，或者挪动椅子都会让她惊慌失措。迪莉娅处于高度的警觉状态中。即使是普通的情境，她都会想象有暴力突发事件危及她的生命。

迪莉娅接受治疗时，创伤事件已经发生 3 年了，但是她仍然清晰记得事情的每个细节：眼镜横飞、男人被推倒在地、男人夹克的颜色、耳环、人群中的骚动和歇斯底里的叫喊声。她仍然不能正常地参加活动，并且越来越意识到这件事对她一生的影响。用她的话说："我知道我根本无法从中摆脱出来。"

对于迪莉娅，我们从 3 个方面着手治疗。我解释创伤事件的作用原理：经历的影像会深深地印刻在我们的记忆当中，并且掩盖住一般的信息，影响记忆处理的功能。正因为如此，她到任何能提醒她创伤经历的情境中，都会引发她对创伤事件发生那晚的焦虑。因为创伤，我们记住了最糟糕的一刻和那种恐惧、无助的感觉。因为时间，记忆穿越了那一刻，人们可以坚持到故事的最后，并且幸存下来。在迪莉娅的案例中，她作为一个近距离的旁观者，感受到了生命的威胁，并在这种情境中存活了下来。其他有创伤经历的儿童可能会被创伤直接影响，就好像虐待、事故、暴力犯罪等情况。虽然他们不能阻止这些可怕事情的发生，但是他们需要思考故事的结局，那就是创伤还没有形成，现在已经结束了，他们是安全的。我向迪莉娅解释她一直有关于此事的记忆，是因为时间被她植根到头脑中，并没有完结，没有归档。

　　我们着手开始治疗。首先我教迪莉娅腹式呼吸的方法，让她在感觉恐惧的情境中减缓痛苦，并且我们强调放松，在思维中创设安全的环境。接着，我用眼动脱敏与再加工疗法让迪莉娅回到最初的事件情境中，帮助她对事件相关的特征逐个进行脱敏治疗，最终对事件进行脱敏。她看到很多有能力的人从旁帮助她，虽然她担心自己将受到攻击，但实际上她是安全的，并没有受到伤害。之后，我们应用认知行为的技巧帮助她改变思维模式，改变她对情境中危险的预期定势，并且将她的恐惧情境层级排列，从她可以接受的情境开始挑战。让她在思维中辨识"可怕与可能性混淆的错误"，她开始好转，并且可以更好地估计事态的发展，了解在情境中发生恐怖事件的可能性是"微乎其微"的，并会应用呼吸调整情绪，用自我交谈的方法准备好对事件进行暴露疗法。

　　迪莉娅开始可以在教堂待得久些，并且感觉没那么焦虑了；可以参加小型的聚会，需要坐得远点；在浴室度过的痛苦时刻也更少了，更多地参与活动。迪莉娅逐渐进步，提升了自己对创伤事件的忍受等级，在她的世界中重新建立安全感。等级的最高层，就是迪莉娅要面对真实的创伤事件了。她要去看一场表演，这是三年来的头一遭，她最好的朋友参与了演出，并且希望迪莉娅可以去看。尽管迪莉娅感觉很紧张，但是她决心一定要克服自己的恐惧，她走进剧场，找到座位，并且发誓不会扫视人群预测危险。她朋友的妈妈知道迪莉娅迈出了勇敢的一大步，靠近她，对她说："虽然你没有参与演出，但你是真正的明星！"迪莉娅非常高兴，感觉自己好像可以回到正常的生活中了。

FREEING YOUR CHILD

from

ANXIETY

❦

第三部分

焦虑之外

❦

POWERFUL,
PRACTICAL SOLUTIONS
TO OVERCOME
YOUR CHILD'S FEARS, WORRIES, AND PHOBIAS

我们已经探讨了不同类型的焦虑需要不同类型的干预。这一部分，我们在诊断之外，考察一下儿童焦虑症诊断过程中的影响因素。第 13 章我们着重强调儿童的睡眠问题，因为一般来说，对于焦虑的儿童，夜晚是最难熬的时间；除此之外，还包括一些指导方案，针对如何获得良好的睡眠，以及如何解决一般的夜晚焦虑。第 14 章，我们考察不同背景下的焦虑儿童，包括在学校中，与兄弟姐妹及朋友的相处中，或在一个大家庭中。第 15 章，我们主要阐述如何与你的孩子谈论他们内心的焦虑。这对家长来说是一个困难的任务，当谈论到疾病、犯罪或恐惧时，家长要特别细心地关注儿童内心的安全感，避免冒险因素。因为压力是焦虑的导火索，所以我们还介绍了一些指导方案来减轻家人的压力。在最后一章，我们论证了学习焦虑管理策略如何能为整个家庭带来巨大的改变。这是一种非常好的相互影响，在克服孩子焦虑的同时，反过来也克服了家长的焦虑。久而久之，孩子变成了自身焦虑的指导者，父母也可能惊喜地发现他们的孩子在不经意间已经给了自己很多灵感。

FREEING
YOUR CHILD
from
ANXIETY

夜晚来临
从夜间恐惧到睡眠焦虑

海迪想要开着灯睡觉，觉得自然的夜光是不够的。我们一把她送回自己的房间，她就跟着我们从自己的房间出来，说她无法入睡。她是如此的烦躁不安，我们不想让她第二天太疲倦，就和她一起睡，或者她爬上我们的床和我们一起睡。我们该如何从这个恶性循环中解脱呢？

亚历克斯今年 17 岁，明年就要上大学了，但是突然他开始因为恐惧无法入睡。现在他说他不能去大学，因为他将整夜无眠。医生建议他每天睡觉前听听放松的音乐，但是他极度焦躁，根本无法做到。我们该怎么办呢？

睡眠与焦虑：它们有怎样的联系

焦虑与睡眠会联系在一起吗？任何一个人，如果他一整夜都无法入睡，看着钟表上的指针一分一秒地过去，他就会体会到焦虑与睡眠针锋相对，因而两者也就不可分割地联系在一起。睡眠让时间流走，而焦虑让时间停留。和平解决两者之间的矛盾是一种必不可少的生活管理技能。

以往大部分工作的重点放在了婴幼儿的睡眠习惯上，他们正在努力与分离和恐惧作斗争，但是大一些的儿童和青少年也同样会受到失眠的折磨。焦虑总是在我们的抵御能力降低的时候、生病的时候、有压力的时候或困倦的时候开始蔓延。焦虑的孩子在睡觉的时候开始挣扎，因为在这一整天里他们第一次感到无法从恐惧和担忧中脱离出来，被迫面对这一切。当万籁俱寂的时候，内心开始起伏和徘徊，烦恼袭来，种种问题开始在脑中跳跃。墙上的影子是什么？那个声音是哪来的？我的朋友喜欢我吗？我要什么时候开始复习数学考试？一些孩子有某种特殊的恐惧，例如对强盗、陌生人、怪物等，但另一些孩子可能会害怕睡觉本身，他们觉得自己会在睡眠中死去。不管是哪种担忧，有一件事情是肯定的，家里的每个人都会因此而无法入睡。

成功入睡的方法有两个主要方面：（1）家长要有技巧地安抚孩子的忧虑，如抱着轻摇他们的身体；（2）家长对孩子的期待和自己的行为要保持一致。睡眠不是一件你能控制的事情，我们能做的是创造有利的条件去"邀请"睡眠。这一章会给你一些方法，使你的孩子充满信心，不管他是害怕睡着的时候噩梦袭来，还是醒着的时候不能停止自己的思想。本章不仅概括了有助于睡眠的关键因素，还集中解决所有人常见的睡眠问题。

自己入睡，让孩子受益一生

良好的睡眠方式：早期的投入换来终生的回报

虽然改善孩子的睡眠方式使得父母疲惫不堪，但是尽早形成良好的睡眠方式也将使你更容易度过睡眠时间，一觉睡到天亮。这个计划进行得越早越好，现在进行也来得及。研究者们已经发现，在出生后6个月内出现睡眠问题的孩子到了5岁和10岁的时候更容易再次出现睡眠问题。但是，不要绝望：即使经过了几年的失眠之夜，如果你和你的孩子努力地创建良好的睡眠方式，你仍然可以期待良好的结果。

很多家长极力想使他们的孩子自己入睡，但这个过程很难实现。特别是当一些因素，如分离焦虑或恐惧存在时，孩子会强烈抗拒父母的离开。但是有关婴儿的研究显示，让孩子自己入睡，这正是家长要做的事情。入睡时父母在身边陪伴的婴儿比自己入睡的婴儿醒来的次数更多。对于前者来说，婴儿会在醒来的时候学会安抚自己，而对于后者来说，如果婴儿在半夜里醒来，他们将需要你在身边才能再次入睡。对于较大的孩子也是这样。虽然你可能觉得如果你的孩子独自入睡会有一种不安全感，但是他会像婴儿一样获得这种独自入睡的能力的，孩子首先需要学会这种技能。一旦一些技能（如呼吸、放松、镇静地自我交谈）被掌握，你就可以开始减少陪伴，从以前躺在孩子的床边到留他一人入睡。

做好夜间记录

下面是一些有助于睡眠的因素。除了直接阐述焦虑问题外，这些指导方案还提供了一些策略，帮助你的孩子获得良好的睡眠。

- 安排充足的过渡时间；计划一个合适的过渡性活动。如果令人兴奋的活动延续到睡前最后一分钟，这样会延长入睡时间。在睡前要提前停止令人兴奋的活动，如看电视、玩电脑游戏等。青少年不要学习到睡前最后一刻，要有一些缓和过渡的活动，如阅读、洗澡、听一些安静的音乐等。

- 保证安全感。不要在睡前接触带有恐怖内容的材料，例如，对于年幼儿童，不要看恐怖的图书或电视，不要玩带有追逐性的打杀游戏；对于较大的儿童来说，不要在睡前看恐怖小说或电影。

- 有计划地应对夜晚恐惧。可以运用一些提示卡片在孩子睡前时间进行真实的自我交谈，教给孩子深呼吸，并在手边放一个手电筒。

- 保持一种积极强化。避免与睡觉或孩子的卧室有任何消极的联系。不要把睡觉作为一种惩罚（面对孩子不好的行为就让他早点睡觉）。如果休息是必要的，试着用其他的方式来表达。总之，要将独自一人入睡与积极的事物联系在一起。

- 关注饮食。远离咖啡因，如巧克力、茶、汽水（即使是一些不含酒精的饮料、原味汽水或果味汽水也含有咖啡因）。咖啡因会加重焦虑，食用后可能会持续 10 个小时处于清醒状态。

- 有一些"策略"上的方案。不要奖励夜晚的"策略"行为。虽然夜晚的交流很珍贵，但是如果你用额外的 20 分钟谈起了学校里的一点小新闻，那么它将可能成为每天晚上都要例行的事情。如果你想要这种交流，就鼓励你的孩子在晚饭后与你分享这些新闻，而保证原有的睡觉时间。如果你的孩子总是需要一杯水，就让他自己去拿，或者在他进屋前就放在他的床前。

● 关注睡眠前的准备状态，而不是睡眠的时间。不要一直关注着孩子什么时间应该睡觉，因为他也无法控制这一点。他越努力让自己睡着，就会越清醒。

● 不要强迫孩子离开你的床，但也不要邀请他们来。不要刻意为你自己或你的孩子做什么，在孩子睡觉之前，你的房间可以自由出入，这样可以避免很多问题同时出现。

● "不要叫我们，我们会来看你。"这是孩子上床后的规则。你要检查确保孩子睡觉前的一切都已准备好，他不会来找你。你可以运用一些激励措施：适合年幼儿童的笑脸图、小贴纸或小奖牌，对于大一些的孩子要用一些更实用的奖励。不要生气，要清楚地确定，你的孩子需要躺在床上。

● "地点！地点！地点！"要安排孩子在相同的地点（他的房间）和相同的条件下入睡和醒来。对于孩子来说，在你的房间里睡着，午夜里在自己的房间里醒来，会使孩子感到迷惘，他们会想要找你。对于青少年来说，如果常常在电视前睡着，那么当睡前没有电视陪伴时就会感到不舒服。

● 睡前与孩子的分离不要显得伤心，要简短，而且每天分离前在他房间里待的时间长短要一致。对于年幼的孩子，更多的时候你要和他们一起做一些过渡、缓和的活动（晚上 8 点以后）；对于较大的孩子，你要协助他们独立地进行过渡、缓和活动，在他房间里待的时间要越来越短。

● 离开他的房间前要有一个愉快的交流。不管你的家庭适合什么样的方式，要给你的孩子以爱的信息伴他们入睡，可以唱歌、拥抱、亲吻、开玩笑，或祝他有一个甜美的梦，并用一些额外的拥抱、故事等来强化这种愉快的交流。

帮助你的孩子顺利入睡

│夜晚恐惧│

像白天的恐惧一样，夜晚的恐惧也是可以被克服的。要帮助孩子从歪曲、可怕和不安的思维中跳出来，使其能够管理自己的思绪。因为孩子就是感到害怕，而非真正处于危险之中。他内心的保护系统已经丧失功能，但是不需要与任何真实的事物做斗争，这完全出自孩子的想象，而非现实。

可以询问孩子都是什么使他们在睡觉的时候感到担忧（或者只是注意一下孩子问你的问题都是什么样的），你就会得知如何用现实的思维达到目标。你的孩子可能从镜子里看到了影子，这个影子令他担忧，同时他也感到镜子是有灵性的，这些都构成了他的想象。要帮助孩子将可怕的影子转变成卡通形象，例如一只迷路的小羊、米老鼠或小青蛙。给予孩子力量，让他驳倒关于夜晚的可怕传说，用一些更真实、安静的想法去取代它。最好在白天的时候就开始这个工作，因为那时孩子还不太累，能更好、更平静地形成这些想法。

怪物就在壁橱里、就在床下。对于年幼的孩子来说，他们非常容易被怪兽、卡通人物或者童话中的恶魔吓到，觉得它们会在床下，因为他们还经常分不清现实与假装。而你要传递给孩子的信息就是没有怪物，用你的创造性去传递这种信息。记住，轻幽默是战胜恐惧的一种方式。你可以做出一种宣布的样子，用假想的麦克风说："我是戴维的妈妈，我要说的是这间屋子是绝对安全的，没有怪物在这里。"打开壁橱，看看床下，并再次宣布："看，虽然那里是黑的，但是没有怪物，就是一双鞋和一些灰尘，哦，还有昨天的一个腊肠三明治。哎？它怎么掉到那儿去了？"然后让你的孩子跟着你重复："我的屋子里没有怪物，我的屋子是安全的。"稍微大一些的孩子可以说："我是主宰者，那只是一个故事。令人害怕的完全是我的想象，但是想象害怕并不意味着我就处于危险之中。我没有！我要按照我的想法制造一个想象，我要将那个令人害怕的图片变成一个好玩的卡通人物。"

最初你应该用这种方式引导孩子，经过一段时间后，要让你的孩子逐渐增加对这个事情的责任感。他也可以打开壁橱的门，或拉开床下的毯子。在你的孩子感到这可以接受之后（这可能需要几天或几周的时间），也就是他能够检验怪物不在壁橱或床下之后，还要让他勇敢地说出来。可以让他拿手电筒和一张想法的清单（可以是床边一张孩子自己做的粘贴画），利用它，孩子会有更多其他的想法替代恐惧。

怕黑。怕黑是年幼儿童和青春期前儿童最常见的一种现象，即使是一些青少年,甚至成人也需要与这种恐惧做斗争。怕黑可能是儿童独自睡眠困难的核心因素。正是因为对黑暗的恐惧与想象紧密相关,所以在我们不可见的黑暗中更容易产生恐怖的想象。

儿童首先需要从认知上克服黑暗带来的忧虑和假想。"它是安全的,我只是看不到而已,而且我也不需要看见,因为什么东西都没有。"继而,他们就能产生力量去和恐惧对话:"我能够做到,我是勇敢的,其他的孩子能控制,我也能,我只是需要慢慢习惯它。"一旦这种思考开始了,你的孩子就能够逐渐战胜黑暗带来的恐惧。首先在白天时,在地下室或阁楼里用一个手电筒去挑战黑暗恐惧;然后在傍晚天蒙蒙黑的时候上楼到他的房间里,并在那里做一些有趣的事,如读书、听音乐。最后,试着在晚上减少房间里的灯光。如果你的孩子在晚上睡觉时开着床头灯,那就把灯光调到最暗;如果孩子有三盏灯开着,就关掉两盏,最后就变为开着夜明灯或走廊灯。一旦你有了这种阶梯式改进的想法,你的孩子就会告诉你他已经准备好了先从哪一步开始。

因为年龄小一些的孩子正好刚刚开始认识到黑暗,你要做一个很好的向导,告诉孩子它是有趣的、安全的,也是熟悉的。在晚上,用微弱的灯光准备睡觉前事务,这样一来,转向黑暗时,孩子就不会感到太突然。让孩子知道,起初他在黑暗中什么都看不到,但是过几秒钟,甚至还没等他唱完生日歌,他就会看到了。让孩子选择一个他熟悉的玩具,例如玩具熊,做一个小实验:关上灯,开始唱歌,然后看看多长时间以后他能认出玩具熊的形状。还要告诉孩子,有时他会感到自己的眼睛好像和自己开了一个玩笑,一些东西在黑暗中看起来不一样了,但实际上它们是一样的。再做另一个小实验:说说一些东西在黑暗中看起来是什么,然后打开手电筒照照它,看看是不是和刚才猜到的一样。

害怕一个人睡觉。即使劳累和同情使最坚强的父母也心软了,但最好还是不要与你的孩子躺在一起,因为那样会使得分离更加困难。取而代之的,应该是坐在孩子的床边或抚摸他的后背。然后告诉你的孩子你会在早晨时来看他,并问他需要你中间来看他几次，是两次还是四次（一种商讨策略）。每次来看的时候时间不要太长，不要超过 1 分钟。关上门，祝他有个好梦。要清楚地告诉孩子，不要叫你，你会主动来看他。如果一开始你的孩子就在你的床上睡，或者你在他的床上睡，那么逐渐地，孩子就会认为和你一起睡是正常的。

抓住恐惧的核心，它才能被克服。你需要一个计划来消除孩子的恐惧，然后孩子才能准备好采取行动。让孩子用卡通形式的幻想写下它的恐惧，然后再写下另一种他喜欢的想法。控制自己独自入睡需要几个方面结合进行：认知上要使忧虑平静、呼吸均匀、全身伸展式肌肉放松，并做一些安静的活动，这些活动要一直持续到孩子睡觉之前。只是简单地让孩子独处并不能解决问题。一旦你已经发现孩子恐惧的来源，并教给了他如何思考和放松的技能，你就应该逐渐退出他的房间。或者，如果你的孩子开始是睡在你的床上，后来能够一步一步地转回他自己的房间，你也应该逐渐降低你的作用。

夜晚忧虑，最后一分钟的问题。当孩子内心有忧虑，他是很难入睡的，而且也很难一个人待着。如果你的孩子是一个夜晚焦虑者，或者在睡觉时有很多"紧急"的问题必须要问，那你就安排在孩子睡前有一段思考焦虑的时间：用 5 分钟写下或说出你的焦虑，然后用更加现实的想法把它们驳倒，这也是"最后一段可以问问题的时间"。然后到睡觉时提醒你的孩子，他是自己内心的主宰者。记着床头卡片上写的种种应对办法，并且内心想着你喜欢思考的事情。

第二条行为准则是解决与睡眠有关的抗拒或回避行为。形成一个良好的晚间行为习惯并坚持它。写一张"目标行为核查表"来强化它：安静地躺在床上；不要叫爸爸妈妈；等着妈妈爸爸来看我；通过阅读、呼吸练习、写下担忧问题等方法来独自应对焦虑。

紧张，不能放松。睡觉是一项单调乏味的事情。如果孩子在睡觉时间太警觉、清醒，就回顾一下上面提到的"目标行为核查表"。用第 4 章中的放松策略，并结合一些看似单调的心理游戏，例如在心里，沿着一条线数羊，这将会使人安静下来。或者在心里想，在一张大画布上画画，你用暖暖的金黄色，或银蓝色在画布上一笔一笔地画着；你的孩子也会创造出其他相似的画法作为发泄途径来减缓他内心的紧张，一直到他感到困倦。

噩梦。多数孩子都有过做噩梦的经历。从学步期到小学低年级是恐惧出现特别频繁的时期，像分离恐惧和黑暗恐惧。但是，噩梦在这段时间可能发生得更频繁。事实上，在所有 3~6 岁的孩子中，有 50% 的孩子经常做噩梦。虽然噩梦的出现次数随着时间而减少，但是有些孩子会延续到青春期，甚至进入成年。消除恐惧、恢复信心和语言的安抚是使孩子再次入睡的最好途径。虽然你也可能睡眼迷离，但是你最好走到孩子身边，把他送回他的房间安顿好。经过几次温和的安抚，噩梦将不会再来。抖一抖枕头，有一个新的开始，孩子再次安然入睡。

拒绝上床。睡觉时间的抗拒被界定为：每周有 3 个晚上以上，孩子不愿上床，持续至少 4 周，并且每个晚上要挣扎 45 分钟以上。你可能会想，这种描述符合多数孩子的情况，因为很少有孩子愿意上床睡觉。如果你与孩子商量，但他仍然很难被安抚，你就要确定一下他是否有什么恐惧。如果没有恐惧，你可以利用一些激励措施来鼓励孩子上床，使他服从你的安排，例如更多的游戏时间，给他讲更多故事，更多的玩电脑时间。虽然一般情况下，激励措施的强化会有最好的效果，但是一些家长发现暂时收回孩子的一些特权也会发挥作用。

失眠的安妮

安妮全家都有失眠症，经常会在半夜时看到家中至少一个人是醒着的。安妮的母亲爱伦说，安妮自从婴儿时就一直有睡眠障碍。虽然安妮的妈妈学会了控制自己的失眠症，但是对于安妮，一个一直困扰她、让她睡不着的因素是：她担心自己无法睡着。像很多有睡眠焦虑的孩子一样，安妮的记忆中一直有一个可怕的夜晚。在这个夜晚，时间一小时一小时过去，她仍然清醒着无法入睡。自从那个夜晚以后，安妮每天到很晚仍无法入睡，她担心自己睡不着。她非常紧张慌乱，耗尽了心力，结果最糟糕的恐惧果真侵袭了她。她努力着对自己说话、平稳地呼吸，在等待入睡的时间里，通过对自己的所说所做，安妮能感到她如何影响自己在夜晚的焦虑水平。她越关注自己醒着的苦恼和恐惧，越做得不好。当她能告诉自己她很好，没有任何问题，且不管发生什么，都集中在自己的呼吸和倾听放松音乐时，担忧会自然离去，她会睡得更好，正如她写道：

> 我会在晚上感到非常害怕，我不能入睡，而且只有我会这样，别人都很好。我用自己的方式克服它。即使那晚我感到害怕，我仍然会意识到，就算最坏的事情发生，我一直待到天亮，也能应付得来。我也意识到当我没有把它想象得很严重时，实际上也能帮助我平静许多。而且只要平静一会儿，我就能睡着了。当我看到即使我没有睡好，我仍然能活着，而且第二天在学校里仍然很好时，我就知道我没有任何问题，进而在晚上的担忧就少了很多。我已经看到了最坏的情况并能控制好它，所以我不用再为此耗费心力。我对自己说："每天都很好，你不是一个精神病！你能战胜任何事情，任何困难都会结束。"现在我已经学会不让睡眠焦虑控制我的睡眠，我对自己说："哇，我不敢相信我做到了！这真是一种美妙的感觉。"

学校里的焦虑小孩
学校、朋友与家人

> 让薇姬去学校太困难了，我开始疑惑，这样做真的有必要吗？也许她就应该待在家里。
>
> 有时我觉得是我让她变成这样。我的岳母告诉我，如果我再严格一些的话，所有的问题都会过去。我该对她说什么呢？

学校应该做什么

孩子一年里有 1 100 个小时在学校里度过。孩子在学校里的困难可以源于一次偶然的棘手情境，孩子不愿意缓和这种矛盾，任何事情都无法改变他。当学校意识到了焦虑孩子的需要，就能作出区别对待，不管孩子是想上学抑或根本不想上学。在这部分，我们主要谈到有关学校的 3 个问题：推测孩子拒绝学校的理由；当你的孩子需要特殊安排时对教育计划作出选择；学校如何设计一些课程，更好地满足焦虑孩子的需要。

拒绝学校的理由

你的孩子挣扎着不想上学，这种现象不是偶然的，而且会成为日常生活中的一部分，不能忽视！你要抓紧时间去找到这个问题的原因。虽然你可能尝试着让孩子不去学校，直到这个问题得到解决，但是你要明白总是回避学校是无法解决问题的。孩子在家待的时间越长，他回学校会越困难。与其他各种焦虑一样，要找到问题发生的起因，你的孩子需要多长时间才能控制好自己，愿意待在学校？在此基础上，作出必要的安排，并引入恰当的支持。

最好从一个广泛的角度来调查孩子拒绝学校的理由：从孩子、学校、周围的同伴、家庭生活和健康等方面搜集信息。你的孩子会从一些不愉快的或困难的情境中逃开吗？例如考试恐慌或无法应对一个社交问题？或者因为他在家里待着而获得了某种形式的奖励，例如无限制地玩电脑或看电视？一旦你发现了问题可能的来源，就参考前面几章关于个体诊断中的策略来解决这个问题。当孩子不愿意去学校是为了逃避一种感知到的恐惧情境时（这称之为"消极强化"，即逃避强化了恐惧的力量），第一步采取的措施必须是减少或消除使孩子感到不适的来源，进而帮助孩子再次回到学校。这可能涉及一个缩减的安排，或者用一天中的一部分时间在教导室里进行。当一个孩子在不经意间得到了不去学校的积极强化，家长就必须要使孩子在家时避免奖励，而在孩子去学校时给予奖励。

为了找到孩子出现学校焦虑的根源，家长可以询问孩子学校和家里发生了什么变化，以便使情况能有更好的进展。

│父母的观点：相信学校对于孩子是正确的选择│

我们都希望自己的孩子受到教育、喜欢学习，但是他们却总是不爱去学校。作为父母，你的工作就是与学校合作，一起适当地解决出现的问题，消除你或你的孩子可能出现的某些焦虑。一旦调节阶段开始，建设性的计划就开始实施了，你的工作就是积极地支持你的孩子去上学。你坚信孩子能够战胜学校的挑战，会帮助他充满信心地前进。如果父母对于孩子去上学抱有复杂而不坚定的信念，那么孩子就会感觉到，并利用这一点乘虚而入。同样，孩子就会抓住父母与学校之间的矛盾，站在父母一边，进而降低了学校的价值，感觉不用被迫去上学了。

逃避学校：预防与干预

第一步是要认识到这个问题，然后看看你自己与孩子能否解决这个问题。如果感到自己的力量是薄弱的，你可以联系孩子的老师，对于初高中的孩子，可以联系教导主任或者学生会。可能需要召开一个会议来研究一下这个问题。父母经常担心他们的孩子会被认为是焦虑症，或者这个消息没有得到保密。把你的担心在小组内以积极的方式与大家交流。如：

> 我们正在解决丹尼尔的焦虑，他一直在努力，也真的需要你们的支持。我们希望这个问题能得到保密并谨慎视之。丹尼尔不想被区别对待，但是他的焦虑正在干扰着他的学校生活。

走出去

具有学校焦虑的孩子被心中预期的焦虑所干扰，头脑中最坏的情况在不停地加速运转，这些孩子经常是达不到目标的。这种心中预期的焦虑经常在夜晚降临前开始出现，可以告诉他们，他们真正想要的会在学校中实现，并告诉他们该如何应对。除此，考虑运用下面的建议：

- 试着让你在早晨这段时间感觉轻松些。
- 即使你的孩子可能很沮丧，也要让他们在早上行动起来，例如穿好衣服、刷牙、吃早饭。即使他不想去学校，也要准备好按时出发。
- 刚开始的时候，如果你有时间，要送你的孩子到学校，而不要让他自己坐公交车。
- 让老师或辅导员在公交车或公园里偶遇你的孩子。可以提前打电话和老师约好，让你的孩子感觉到总会有人在他的身边。
- 利用实际的强化物（如奖品、比赛入场券、电脑游戏等）来奖励孩子上学和在学校中的努力表现。

面对不愿上学的孩子

为了让孩子感受到更多的支持，从而愿意待在学校，当孩子需要暂时离开教室的时候，应该让孩子感到老师或辅导员的办公室是一个安全的地方。老师应该意识到孩子特殊的焦虑问题，并善于用认知策略引导孩子产生更多现实的想法。与父母联系应该作为方案中的最后一步。通常，当孩子在学校中与父母联系后，他会更难待在学校。个别的孩子可能反应不同，但这种可能性应该予以考虑。

│对于已经离开学校几周或几个月的儿童│

若孩子已经离开学校很长时间，他们内心就会建立起很严重的预期焦虑，因而要将这样的孩子转回学校可能需要慢慢来。

当在学校出现问题。如果存在一些学业上的、人际交往或师生关系的问题，学校应该站在孩子的立场上来解决问题。学校一直与孩子紧密联系着，所以他们最能了解怎样帮助孩子。

当离开家成为问题。很明显，这是由于分离焦虑或惊恐性障碍造成的。应该以儿童恐惧程度作为向导，制订一系列等级的必要步骤。当一个步骤完成，挑战性困难不再出现时，才能进行下一个步骤。等级步骤的样例如表 14—1。

表 14—1　　　　　　　　　　等级步骤样例

挑战	恐惧水平
放学后去找老师谈谈计划。	6
妈妈开车送我上学，在学校待一个小时，妈妈在停车场等我。	6
妈妈开车送我上学，在学校待两个小时，到辅导员那报到，妈妈在家等我。	8
妈妈开车送我上学，在学校待一上午，直到午饭时间，妈妈在家等我。	8
妈妈开车送我上学，在学校待一上午，与辅导员及两个朋友一起吃午饭，妈妈没有在家。	8
妈妈开车送我上学，在学校待 5 个小时。	10
妈妈开车送我上学，在学校待一整天，妈妈开车接我回家。	10
坐公交车去上学，在学校待一整天，妈妈开车接我回家。	10
早晨坐公交车去上学，白天待在学校，晚上坐公交车回家。	10
放学后待在学校，接着上音乐辅导班。	10

关于如何考虑不同的恐惧变化，表格中的这个等级计划是一个例子，马特（第

9 章里提到的患有恐慌症的孩子）能在两周的时间里完全返回学校。如果不是在校时间的弹性变化使马特逐渐适应，并支持他的焦虑管理，马特就不可能再回到学校，因为要让他一下子完全回到学校，这个门槛太高了。

你总是强迫孩子回到学校吗？ 简单地强迫孩子回到学校不是一种合适的治疗计划。你需要知道这种情况的种种原因。找到究竟是什么让孩子感到不可忍受。是孩子的感觉引起的痛苦，还是某些实际情况需要调整？换句话说，如果是一些方面出现了问题，你确实需要先去调整它。要一直与学校保持联系，直到孩子能够完全回到学校。

学业适应：孩子的权利

有时候对于孩子来说，在学校里有更多的支持和自主的安排是很必要的，即适应他们的时间表、课程或作业。考虑到焦虑的影响，要让他们参与到教育中。对于一些孩子来说，这些安排能使孩子感到上学与不上学是不同的。这些规则会使所有的孩子感到，在一个尽可能不受约束的环境里，他们有权利接受一个自由和适当的教育。就像身体有残疾的孩子一样，具有焦虑症的孩子也有权利去适应他们的学业规划，进而可能获得学业上的成功。

美国《障碍者教育法案》为需要此项治疗的儿童提供了特别的治疗程序和基金。家长可以联系学生志愿者小组来启动个人化教育计划这个治疗程序。首先要进行一个综合评估来确定这个孩子有什么样的需要，进而确定对其学业技能的干预程度。为了确保这个治疗过程的质量，你的孩子必须被鉴定具有特殊的需要。虽然过去患有焦虑症的孩子被认为是社会与情感障碍（Socially and Emotionally Disturbed，简称 SED），但是另一个类别，其他健康障碍（Other Health Impaired，简称 OHI）更适合。个人化教育计划包括了矫正程序表、一对一辅导和矫正任务。

对于比较轻微的障碍，学校可以拟定一个叫作"504 计划"的文件，并让家长填好。"504 计划"相对来说不那么正式，它没有特殊的程序要评估和遵守，主要是基于当事人的意愿。它的好处在于避免了个人化教育计划有时很繁琐的评估程序。但出于同样原因，没有了规则，坚持性就没有了保证。

　　记住，这些方案有可能使具有焦虑症的孩子参与到学校中来，并在学校获得进步，而不受到他当前限制的干扰。随着孩子在治疗中一点点进步，同时也随着学校中的新挑战一点点增加，方案进行中，一些频繁的回顾练习和调整是很必要的（见表14—2）。

表 14—2 　　　　　　　　　　　　　学校程序安排样例

程序安排	儿童的收益	具体执行
可以原谅迟到，早上延后开始上课。	多样的强迫症晨间仪式，使儿童在早上感到困倦的药物。分离焦虑或恐惧需要在学校的时间更短些。	首先安排学习的场所或自由的时间，让孩子不会错过指导。
进行口头的测验或作业，而不是笔试。	强迫症：减轻书写中的完美主义倾向。	用复写纸、录音带或声音识别的电脑程序。
减少家庭作业。	新的诊断或增加的症状（自身免疫性神经精神障碍），掌握在学校和家里的所有情况，孩子从心灵的创伤中恢复。	设置学习的时间限制，给完成的学习任务分配等级，减少书写作业的数量。
减少公众谈话；与教师一对一地进行口头报告或录音。	社交焦虑、广泛性焦虑症、恐慌症。	应对小范围的公众谈话挑战，预先召集班里的孩子，逐渐达到自愿的公众谈话。
减少上课和记笔记。	强迫症：书写中的完美主义，其他干扰性的焦虑，过度集中在记录上而忽视了重要的信息。	给孩子提供预先准备好的笔记，让他能在课堂上集中精神，把孩子与班里的其他同学安排在一起，他们也会提供笔记的副本。
在学校有感到安全的地方，可以自由地享有短暂的休息。	强迫症、恐慌症、分离性焦虑症，恐惧。	重新安排信号系统，让孩子不会要求离开（在桌子上放一张亮橙色的卡片，并向老师使个眼色）；很容易拿到水，5~10分钟就可以找到想要找的人。
不限时间的测验。	任何焦虑情况，特别是考试焦虑。	延长时间并更换考试地点（安静的办公室），让孩子看不到别人很快地完成测验。通常孩子不会超时，但是如果知道了不限时间就会感到更放松，也会更加专注，努力完成。

续前表

程序安排	儿童的收益	具体执行
优先考虑与大家坐在一起，进行大组的活动。	恐慌症：需要坐在门边以便能很快离开；强迫症：担心被弄脏，消极的想法使他们很难与人接近；希望坐在最前面以至看不到其他人，或者坐在最后面以便能容易离开；分离焦虑。	孩子可能需要建立他们对很多事件的忍耐性。看看孩子是否能在集体场合待更长时间；如果他需要离开，看看他最后还能否再回来，如果最后回来了，就记录为成功。
社交技能小组。	广泛性焦虑、分离性焦虑、社交焦虑。	给需要帮助建立社会联系或需要帮助建立自信的孩子，提供了一个共同分享的经验，表达出不同的观点，对付爱嘲弄他人的人。

烧掉房子：杜绝学校中使学生产生焦虑的教学

近些年来，为了满足所有学生的需求，学校已经面临着巨大的挑战。随着梅尔·莱文（Mel Levine）[①]的《心智的发展》（*A Mind at a Time*）的出版以及其他关于学习差异的书籍的流行，对学校的要求已经提升到能够识别个体差异如何影响学生学习的程度。不幸的是，我们只能从情感上的差异来辨别，很难透过表面的情感差异看到内在的本质。当要考虑焦虑儿童的需要来应对一些可能令其恐惧的事情时，我们只能采取以一对多的课程，尤其可以采取一些非常小的步骤来减少日常学习中出现的不必要的焦虑。父母可能也想要了解这方面的信息，但是教师可能没有意识到这一点。尤其是理科老师可能有时会因为学科性质而出现问题，其他课程中一些偶然的评论也可能造成不必要的和无心的伤害。教师需要意识到这个实际问题，焦虑的孩子可能更多受到同伴和教师的影响，听他们在说什么。教师可能需要做出一些有帮助的行为，用他们的观点来考虑事情，以防止焦虑的孩子受到心灵上的伤害。

没有一个教师会故意伤害一个孩子或曾想要这样做，但是教师应该考虑下面这些建议：从统计上来分析，班里一般有超过 10% 的孩子有焦虑反应，很难准确地进行一些可能引起危险的事情。这不是他们的错，如果成人能意识到焦虑的孩

---

① 梅尔·莱文是美国顶级学习障碍专家，儿童心理学家。其著作《世上没有懒孩子》已由湛庐文化策划，中国人民大学出版社出版。——编者注

子需要什么才能正确地理解风险，那焦虑就不会成为孩子的命运。他们需要一些观点，一些词，像"很少、不太可能、几乎没有、从来不"对他们来说意味着很多。所以当告诉他们一个很小的伤口会导致坏死，甚至最后截肢时，不要忘记强调这是极小概率的并解释为什么（因为人们担心感染，所以很小心）。不然，孩子会将这种信息编码为"感染……截掉你的手！"当谈到氧气，用这样的例子："想象一下你的房子着火了，你能在氧气耗尽之前以多快的速度出去？"作为教师，你应该考虑到这对于一个焦虑的孩子会产生多大影响，不管这样的例子是不是必要的，如果能用其他方式来说明这个问题，就不会有这样的刺激性。教师可能发现下面的这些规则是很有用的：

- 尽量强调安全的预防措施，而不是风险。
- 头脑中要记得可能引起危险的情况。
- 设想有焦虑的孩子在听你谈话，所以要避免可能引起的错误知觉或产生误导。
- 强调上面的所有信息都要恰当的、正确的带回家里。

焦虑孩子的关系管理：关于朋友和家人

友谊

焦虑在很多方面干扰了友谊关系。不管你的孩子是猜测他的朋友在想什么，还是不敢接近其他孩子，或者只是因为用太多时间困扰在焦虑问题上而没有任何时间给其他事情，焦虑都在影响着友谊。因为焦虑，孩子经常感到自己是不同的。他们觉得只有自己承受着这种痛苦，不但感到孤独，而且不被接受。在第8章，我们细致地讨论了如何帮助一个害怕社交关注的孩子。这里我们将阐述另外的问题，你的孩子是否可以或如何与他的朋友谈论他的焦虑，并提供一些建议，让他能在离开社交场景一段时间之后再次回来这里，因为他已经开始关注这个问题。

与朋友交谈。如果你的孩子向你寻求帮助，让你帮他决定是否要告诉某个朋友他的秘密，你就建议他考虑一下这个朋友在过去的表现，他是如何对待保密信息的。如果一个朋友与你的孩子分享了一个秘密，那就表明了他们之间有一定程度的信任。很多焦虑的孩子不想告诉朋友关于自己的事情，直到他们感觉好些。从某种角度来讲，这样做是有意义的，因为他们的感觉是如此敏感和脆弱，根本无法应对不良反馈的风险，同时又可能被区别对待。如果你的孩子确实决定了要与他的朋友谈起他的焦虑，那他就要告诉他们他不需要任何特殊的对待，但这只在一些了解实情的人中起作用。一些孩子确实感到很感激，因为朋友的理解，尤其是当朋友知道他们不喜欢听粗俗的笑话，不想看恐怖电影，不愿有狗在旁边时。如果你的孩子正在寻找一些词语来描述他现在的感受，这里有一些观点，是多年来孩子们教给我的：

- 我非常焦虑，我不想这样，我也正在克服它，但是我的脑中总是塞满了恐惧，让我感到自己不安全。
- 我的大脑给了我错误的信息，我就像被固定在了焦虑的轨道上。我总是想到底是什么出现了问题。很痛苦，但是我正在学习如何改变这条焦虑的轨道。
- 我对很多事情都感到紧张，紧张的思绪在我的周围盘旋，不肯离去，使我感觉特别糟糕。
- 有时我感觉一些不好的事情总在发生，这令我害怕。我的大脑总是陷于焦虑之中，但是我正在想办法克服它们。

休息一段之后回到社交场合中。当你的孩子完成了一系列焦虑管理的程序，准备回到他的社交活动中时，他可能担心会有什么在等待着他。如果有一段时间他一直拒绝邀请，那他可能发现电话少了或根本没有了，这标志着人们都在离他而去。这时要对孩子解释，友谊是双方面的，当你总是对朋友说"不"，他们就会感到自己是被拒绝的，所以就不想打电话约你出去玩了。帮助你的孩子发现一些他准备采取的小步骤，透露出他再次对这件事感兴趣，他可能就会与年龄大一些的朋友们一起到餐厅，再次与朋友打招呼，甚至制订一个周末计划。

在家庭中：处理与亲戚、兄弟姐妹之间的关系

大家庭中：建议、批评、接纳。每个人在家庭中都有一个角色，一些人提建议，

一些人批评，另一些人接纳。要认识到家庭成员中谁有可能帮助你应对你的情况，争取获得他们的支持。对于那些不能或不愿帮助的人，你只能出于尊重地表示，一些事情你是不能与他们讨论的。他们当然会反对你："我只是在试图帮助你啊。"（他们也确实是在做）你有权利让他们知道，他们能帮助做的最好的事情是不参与。当然，如果某个亲戚对孩子作出非支持性的评论，你有必要更加直接地干涉。让他们知道你的孩子正处于压力之中，这些评论只会增强孩子对自己的消极感受。另一些建议可能对你的孩子是有帮助的。例如，我们不要说："你怎么这么害羞呢！我们又不会咬你！"而是建议家庭成员给孩子一个温暖的问候，给孩子一个准备和适应的空间。

我们知道你可能会感到有些头疼，因为有些亲戚的不友好评论可能反复加强了你对孩子的担忧。但是要记住这个事实，焦虑是可以解决的，它不是任何人的错。所以你有充分的理由来乐观地面对你的孩子。

兄弟姐妹：可调和的差异？ 与患有焦虑症的兄弟姐妹在一起成长是一件很困难的事。他们会很难理解为什么会这样不公平，没有焦虑的孩子会感觉他要对他做的所有事情负责，而他有焦虑的兄弟姐妹看起来似乎谋杀罪都可以逃脱，仅仅是因为他说他害怕。焦虑不是一种身体上的障碍，孩子们无法看到，而且焦虑所暴露出来的缺陷也是不容易把握的。所以一件重要的事情是，你要告诉你的孩子，他们患有焦虑症的兄弟姐妹也不想有这样的感觉，他也正在尽最大努力去克服。然后解释，焦虑是我们都可能有的正常反应，只是有时当它过度反应时，问题就产生了。告诉他们其实你的孩子其他方面都很好，就是大脑会发出太多焦虑的信息，并使他感觉这些信息都是真的。

　　就好像是接到了很多奇怪的电话，告诉你明天要下雪（即使是在海南的7月），然后你就开始疑惑你所知道的是不是真实的，并感到心神不安。这就是焦虑发生的情况。即使焦虑的孩子是聪明的，并且有能力成为一个现实的思考者，但是这个奇怪的电话有更大的力量，因为他们听起来不像是奇怪的，而是完全可信的。

让你的孩子知道，家庭中的每个人都会支持这个有焦虑症的孩子，帮助他消除头脑中焦虑的信息，从而回到现实中来。为了避免有害的误解，儿童可以询问有焦虑症的兄弟姐妹，看能帮助他做些什么。

父母面对兄弟姐妹的策略

- 要有耐心。记得要时常对兄弟姐妹表达我们在一些情境中的感受，尽管是我们从来没有表达过的感受。他们也是孩子，他们应该有机会去学习如何应对一个棘手的情境。尽管当时他们可能会伤心，但是他们还是会尽自己最大的努力。

- 要清楚谁也不会忍受个人攻击。告诉你的孩子要对他们的行为负责。

- 告诉你的孩子公平不意味着大家都一样，不然的话每个人都要吃相同的食物，不管他们喜欢什么；每个人都要在相同时间睡觉，不管他们多大年龄；都要戴眼镜，不管他们需不需要。

- 不要责备。要一直理解孩子的感受，即使是非常尖刻的（如"我恨他，他正在破坏我们的生活，任何事都变得了无生趣"）。帮助他以一种无害的方式来表达这些感受。教给你的孩子要认识到各种情境下的问题，因为那样才能解决问题。"你很失落，因为我们不能出去玩，我知道。我也很失落。你的弟弟真的也想出去玩，但是他也没有办法。你是对的，这影响很不好。我们不能总掌握我们想要做的事情。让我们想想该如何利用这个晚上，玩乒乓球还是吃冰淇淋呢？"

- 如果你的孩子确实做了令人伤心的事情或说了一些令人伤心的话，记住，真诚的道歉要比被迫的道歉好上百万倍，而且值得等待。要考虑补救，如何以一种积极的方式来促进家庭和谐，而不是用惩罚。

- 如果有可能，安排一对一的交流时间。朋友和亲戚可以单独和兄弟姐妹交谈，家长不出现。或者必要的话，让他们带着兄弟姐妹们出去。

- 有时，你可能需要孩子的帮忙，向他们询问很多事情。让孩子知道你有意识在向他们询问，而不是被你的质问所包围。那样他们就会感到自己是很重要、很有价值的。

- 试着找到一些有趣的活动，号召全家人参与这项活动。可以大家一起打破一些规则，一起看搞笑的电视剧，一起玩猜字游戏。

与孩子谈谈现实的忧虑
减轻孩子的压力

当卢克偶然听到他的爸爸要去检查胆固醇时，他惊慌地向我跑来问："那就意味着他变老了吗？那就意味着他将要死了吗？"

我不敢带谢丽尔去看电影，因为太不值得。如果看到任何不好的事情发生，她就会被困扰好几周。她无法睡觉，这使得我暗下决心再也不做这样的事情。

我知道我需要和肖恩谈谈他对恐怖的敏感，不然他将会在学校从别的孩子那里听到，而那可能是不正确的。我不想故意找麻烦，但是我知道这些信息最好来源于我。我只是不知道该对他讲多少。

与孩子谈谈现实中的忧虑和恐惧

我们可以做任何事情来保护我们的孩子，但是有一些事实我们不能隐瞒他们。如果我们能意识到这一点并态度坚决，我们就可以通过练习，去控制我们的孩子如何面对严酷的生活现实，从现实中学到什么，以及如何在现实中生活。这些是父母的特权，甚至在艰难的时候，这种特权都可以实践。我们要展示给孩子，即使我们不能掌握所有的命运，但是我们能掌握自己的生活。

像我们一样，孩子现在生活在一个媒体充斥的世界，每天都能得知一些关于疾病、犯罪和战争的消息。孩子们经常有很多问题需要我们回答。所有的孩子都会有这样的问题，但是焦虑的孩子要问的问题更多，也更密切地关注答案。我们可能发现这些问题越来越难以回答，甚至在我们的思想中都很少能找到词语和概念来应对。当恐惧很大时，我们感到寸步难行，无法应对。但是从根本上讲，恐惧就是恐惧，担忧就是担忧，所有的恐惧，不管它是大还是小，真实存在的还是想象的，都需要转向基本问题，即如果没有别的事情，你就对你的孩子说："我在这儿，我会为你做任何事情，尽全力来帮助你。"

当你跟孩子谈到困难的话题时，这一章将会指导你作出决定，首先要把你自己作为一个指导者，停下来去想想你该如何接收这些信息。下一步我们看看指导规则，该如何在孩子的日常生活中建立一个压力防护层。不要给孩子过多地安排任务，试着在现代生活压力的周围设置一个界限，给他们开辟一条道路，通向自己的家门。

|由担忧导致的担忧|

你可能认为你无法指导你焦虑的孩子，因为你和他一样害怕。关于恐惧，周围发生的一些事件也威胁到我们，使我们丧失忍耐性，动摇了我们内心的安全感。我们已经感到自己脆弱的心灵，感觉无法再指导孩子，更无法再指导孩子运用之前这些程序。这是正常的，但是在这个需要改变的情境中，我们必须先稳定好自己，然后重新回顾相同的课程来教我们的孩子。

|最先要做的事：限制你的忧虑和你的想象|

当我们与重大压力事件斗争时，我们可能发现自己一直在想这件事，当我们的思想偏离它时会感到内疚。不管问题多么严重，我们都需要让忧虑停止，不然我们会发现自己已经被焦虑耗尽，只剩下一点点的精力面对现实生活。我们面对着混乱，想象着各种悲惨的局面，但是我们仍必须知道如何使它安顿下来。当忧虑试图侵袭我们，我们能将它再推回去，就像我们应对孩子纠缠着要吃晚饭。"不，还没有轮到你。"就像我们指导孩子要选择什么样的音乐听，是焦虑的还是中立的，我们需要作出那样的选择。

与孩子聊聊你的目的

| 你做这些是为了谁 |

如果我们停下来考虑为什么我们要传递给孩子一些信息，那么我们可能会惊讶地发现我们心里很愧疚。当你正在警告你4岁的孩子不要接近陌生人，想着"如果任何不幸的事情发生，我永远不会原谅我自己"时，你的苦恼和焦虑将成为最大声和最清楚的信息，你的话可能使你的孩子困惑，甚至感到害怕，而没有任何有利作用。要尽可能保持镇静，并向孩子说明怎么做才是安全的。可以用一些短语，像"所以你要做的是……"（引导孩子完成这个句子，看看他是否已经学会了安全规则）"只能跟认识的人走"。

| 保持正确的心态：它不是冒险，而是安全 |

我们生活的现实中，无法避免一些事情，例如对孩子的诱骗、校园枪击、暴力犯罪、恐怖威胁和攻击，以及威胁生命的疾病。虽然我们需要为孩子应对这些而做准备，但是我们更需要做的是以一种灵活的方式，而不是像一个盗贼的警告或驱虫剂推销那样不注意方法和策略。我们不想夸大事物恐怖的一面。虽然这些事件是可怕的，但是也是极少发生的。所以，不用聚焦在风险上，而是需要聚焦在安全性上，即孩子如何做才能提高他们的安全性。这样将会让你的孩子更有控制感，即感到事物能在控制之中。在外边的安全规则是什么？在学校、商场的安全规则是什么？说说"家庭中的安全规则是……"，与告诉孩子外面有陌生人想要伤害他、别的孩子已经被拐骗了等等，感觉非常不同。培养孩子适应能力的方式首先要做到没有伤害。要确保你的解释没有让孩子觉得危险比预期的可怕。你自己首先要获得明确的信息，然后才能与你的孩子交流。

|掌握信息的传播|

不管你是谈论战争、疾病、恐惧还是犯罪，你都不可能知道所有的答案，你能告诉孩子的，很多都是不好的信息。虽然如此，不要让你这种感觉阻止你讨论困难的问题。即使你确实知道所有的答案，在一个时间一股脑地告诉孩子也不是最好的选择。为了准备与你的孩子谈论一些产生恐惧的主题，下面的一些指导原则将给你一些支持和帮助，来满足孩子的需求。

- 尽可能地明确，但不用非常完整。

- 让孩子认识到有人正在解决他所询问的问题，而且有很多人。焦虑的孩子是过度担心的，他们需要知道有其他人正在解决这个问题。

- 要实话实说，但仅仅在一定程度上。要慢慢地解释，不要匆忙或强行地灌输给孩子。给孩子机会去慢慢消化这些事实，心里要一直记着什么对于他们才是恰当的。

- 每次都要以孩子提出的问题开始。问他在想什么或对某个情境了解多少，或者他听到了什么。这些都要建立在他的知识基础之上。听听他的情感需要，同时纠正他存在的错误知觉。

- 不要担心陈述的内容太明显。通常情况下，非常基本的信息，即使反复明显地说明，也是非常令人舒服的。"你的祖母非常爱你，医生会照顾好她。""你是安全的，我会一直保护你。"

- 关注你的孩子能做什么。让你的孩子处理一些信息：一项小的工作、一种喜爱的东西、一个计划。心里记着目标是关注能力，考虑到他的年龄和能力，你的孩子会怎样去解决或怎样保护自己，而不是集中在情感或身体的弱点上。

- 焦虑的孩子经常感到对事情是有责任的，那不是他的错。你要确定你的孩子能够准确地理解事情的起因。

- 虽然你不想表现出因为情况不确定而带来的烦恼，但是你可以说。通过简单地对自己说"这是那些困难情况中的一种，我们不会有所有的答案"，为焦虑设置一个最高限度，要表现出信心。即使有一些不确定性，我们也能生活。它不是令人愉快的，但是我们能应对它。我们要移情于这个事实：这种情境不会有足够好的答案。

- 强化现实的想法，强调危险的不可能性，而不是灾难如何发生。

- 限制一些电视节目的观看。自己把它关掉。当孩子在身边时，有些家长觉得应该去看一些新闻，其实这对于孩子来说是不恰当的。虽然电视新闻是很有信息量的，但是其内容从本质来讲就像一场少儿不宜的电影。年幼的孩子看到一次又一次重复播放的画面，但是不能理解这其实是一件事。而且，他们感受不到这些事件距离自己有多远。一个 5 岁的小女孩看到一则新闻，是一个男人不小心用射钉枪伤到自己。那天晚上她坚持让妈妈检查她的全身，确保她身上没有钉子。大一些的孩子能和父母一起看一会儿，这是为了加工他们所看到的信息。如果你想让你的孩子意识到某些特定的主题，可以利用其他媒介，如报纸或杂志。这些书面语言对于多数孩子来说更容易加工，一系列连续的暴力画面，这些画面往往会深刻印入孩子的内心。

减轻孩子的压力

我们一直以来都知道压力会激发或加重孩子和成人的焦虑。下面我们就将考虑文化因素对儿童日常压力水平的影响，以及家庭如何管理、抵制这些影响。

在《困境中的父母》（*Parents under Siege*）一书中，作者詹姆斯·加巴里诺（James Garbarino）和克莱尔·比尔德（Claire Beard）强调若父母意识不到社会的力量也对家庭施加着压力，他们就不可能重新获得对孩子的控制。这些社会压力是多方面的，包括更长的工作时间、紧迫的截止日期、信息超载、技术爆炸、媒体中的暴力和性、商业化和物质主义。虽然我们不得不面对这些不同程度的压力，并考虑到一些压力也是现代生活中不可或缺的组成部分，但是我们不能对它们妥协，它们终将会过眼云烟一般从我们的生活中消失。

一些专家认为，父母对孩子的影响要比同伴的影响和生物遗传的影响要小很多，但是随着时间的推移，我们看到父母的反应和行为像镜子一般印入孩子的表现中。孩子以这样的方式开始人生旅程，这是模仿的自然倾向，他们将跟随父母的引导去管理时间和应对压力。

有一个焦虑的孩子，会使你敏锐地意识到这些困难，因为你的孩子相比于其他孩子，可能不太会面对我们这种有压力的文化，也无法适应这种文化提出的要求。应对干扰孩子的外在压力可能是一场艰苦的斗争，但是不要向斗争妥协。帮助你的孩子学习对课外活动作出合理的选择，不要让你的孩子参加三种体育运动，同时还学习两种乐器，还要求他全部得 A。这些为你增添了更多的压力，而这些压力又是周围其他父母所没有的，最后你会发现，让孩子享有健康并没有那么困难。一旦你作出了合理的抉择，你就会看到你的孩子是快乐的，更有开创性，也没有那么大压力，这一切证明了你的正确抉择。可能其他人会以你为向导，然后我们一起发现，原来生活中的很多事情我们实际上会接受并能适应。

我们知道，压力会对睡眠、记忆、情绪、健康、成长、免疫功能和心肺功能产生生理上的影响。下面是一些简单易行的方法，可以用它来减轻焦虑孩子生活中的压力。

│改善饮食和睡眠│

如果孩子从电视里获取饮食的线索，那就是所有人都在吃汉堡包、炸薯条和可乐。我们知道咖啡因会使焦虑的孩子更加敏感和紧张，高碳水化合物或高糖类的饮食不会给孩子提供持久的能量，而焦虑正是利用孩子能量不足而乘虚而入。孩子应该知道他们管理焦虑的一个方式是通过减少糖的摄入量，拒绝咖啡因。检查一下孩子的饮食，并与他谈谈改善饮食的便捷方法。可以从这一点改变开始：上学时给他带上一些杏仁或小胡萝卜作为零食，以此代替薯条，带一瓶纯净水而不是汽水。让你的孩子帮你作出决定，他会更愿意按照这个决定完成。

很多孩子像成人一样，没有充足的睡眠。制订一个晚间安排。如果你的孩子成功地早一点上床，就要记录下来，如果有必要，还要用一些奖励来使他坚持。最终，你的孩子可能会觉得，感觉镇定和精力充沛就是对他的回报。

│与孩子保持联系│

一种可预见的和支持性的关系对孩子很重要，它给焦虑的孩子提供了最安全的依靠，并且有助于发展焦虑应对技能，减少焦虑。当你为孩子特意安排出时间，即使一个月一次，你的孩子也会得到最明确的信号，感觉到他对于你很重要。小孩子们期盼与父母一起玩的日期，那是非常高兴的，把它标记在日历上，让他们能在几周后盼到它。对于青少年，要找到一个折中的方法。你可能不得不去商场，可能出差或工作到很晚，或者要上一个夜班，这时你要发挥你的创造性，可以在晚上用邮件交流，或在交流日志上留言。给你的孩子一种灵活性来决定如何与你交流或多长时间交流一次，但要让他知道你一直会在等他。与家人一起度过一些时光。不要仅限于和平共处。一个拥有音乐的夜晚、一个一起游戏的夜晚、一个吟诗作画的夜晚、一个共进晚餐的夜晚，都可以交替着成为你的决定。你会发现你回到了自己的生活之中，压力也在这样的生活中隐隐退却。

重视孩子的观点并鼓励他表达

如果你想让你的孩子在一种受重视的感觉中成长，现在就要让他感觉到自己很重要。让他说出自己的观点，这并不意味着他想要做什么就能做什么，而是帮助他学习如何有效地表达自己。让他知道他的观点是有价值的，同时也要培养他观点不被采纳的时候，对挫折的容忍度。

限制看电视、玩电脑的时间（而且要自己关掉）

如果你们在用正餐的时间或者电话铃声响了，同时电视很嘈杂，那就应该把它关掉。学业成功的一个预测因素就是家人是否一起吃正餐。

- 要决定什么事情是有助于家庭的，就要坚持它。最近的统计表明，成人比孩子看电视的时间更长，但是我们知道，如果没有限制，你的孩子会无法自拔。
- 一些带有屏幕的设备，像电视，应该作为一种业余的娱乐消遣，而不是专职的工作。

根据定义，焦虑的孩子是有压力的。虽然父母不能一直保护他们的孩子不经受压力，但是他们能采取一些措施来培养孩子如何管理压力，以降低它对日常生活的影响。

从焦虑中解放出来
让孩子自己掌舵

> 我一直希望能解除凯西的痛苦，能拿出治疗方案，提醒她，是
> 我一直守护着她，而不是焦虑。但这只是我自己的焦虑和担忧，这让
> 我有时感到很无助。实际上，如果我诚实地对自己说，凯西其实一直
> 在进步，而我是感觉更焦虑的人。
>
> 我用了很长时间才得知康妮的恐惧。在这之前，我就感觉到这种
> 不可思议的恐慌感和紧张感，这些感觉来源于我想要消除康妮的恐惧。
> 我担心她不能应对。现在我们都知道该如何做了。康妮要做的就是内
> 心强化："如果……怎么办"和"还有什么"，让她能直击焦虑的核心，
> 而我的工作就是安静地待在那，只是倾听。她很快就受益于这个方法
> 了。而我学得慢，现在正在奋起直追。

　　作为父母，我们都希望能给我们的孩子掌舵，绕过生活道路上不可避免的挫折。
但是在每个人的生活中，不管这个生活的线路如何，挫折总会发生。在孩子生活
的图景中，控制恐惧和焦虑的过程是痛苦的、令人虚弱的，但这只是故事中的一
面，焦虑的一面。然而当它们从这幅图画中消失的时候，你的孩子就会变得自由
（而且每个孩子都拥有它）。所以要抗击焦虑，过上美好的生活。要相信故事中主
人公的力量，你就会很快翻到英雄——你的孩子出现的一页，他做出了惊人的战绩，

勇往直前，最终获得了圆满的结局。这会让你拥有一个美好的世界，看到你的孩子是有能力的，不是无助的，而这种信念会对孩子有多么大的帮助啊。你对孩子能力的信任就像一盏大大的绿灯，告诉孩子——前进！

焦虑的孩子

害怕死亡的茱莉娅

我最近有机会与一个孩子合作，她的例子证明了这个观点：孩子们会找到他们的方式去克服焦虑。茱莉娅今年7岁，是一个非常活泼的女孩，但总是比其他的孩子更害怕，特别害怕蜘蛛，而且对死亡的概念非常不安。但是她一直控制得很好，她的父母也没有过于担心。但是后来，茱莉娅因为一次链球菌感染，强迫症突然开始发作。她拒绝回答任何问题，因为她担心她会说谎，她担心人们不理解她，因为她觉得没有足够的语言来表达自己，让她能被理解。她不敢触碰黑色的衣服，因为黑色意味着死亡，家具也同样可怕，因为在记忆中，蚂蚁和蜘蛛在家具那儿出现过。茱莉娅和她的家人前来治疗，他们心中充满担心、沮丧，完全处在慌乱之中，他们的生活陷入困境。在第一步治疗中，我对茱莉娅解释了关于"大脑虫"的问题，之后她充满信心地来到我的办公室，手里拿着一份有说服力的行为计划。她打开一幅很漂亮的海报，这是她自己制作的，上面列着50条不同的标语和她要如何战胜焦虑：

> 我将要开始实施；我是自己的主宰者；改变你的想法不是说谎！这些问题都不是重要的；这不是一盘国际象棋，它不复杂！我将赢得这场战斗游戏，我能做到！

对自己的生活有了一种新的理解，茱莉娅感到可以自由地与问题进行交流，有明确的目的、希望，甚至脸上有了微笑。虽然有很多工作要做，但是她现在能主动调动自己的创造性资源，找到摆脱焦虑的途径。紧接下来的一个挑战是，茱莉娅不得不再忍受两次病菌感染，而且出现的猩红热加剧了她的症状。她的家人正在忐忑中度过，但是茉莉娅渡过了每一道难关，胜利在望。即使面对每一次失落，她都决定要重拾信心，而且她也做到了。

当然，这对于茉莉娅的父母是更困难的，她们几乎没有时间回顾前一个步骤，第二步骤就开始了。他们觉得很难相信茉莉娅的微笑，但也很难忽视她的进步。她开始能欢欣地摆弄她的黑衣服，用黑色的发带束起头发，用黑色的墨水写字，并能说出一些词语，如死亡。它们已经不那么敏感，但就在几个月前，她还不能听到那些词语，她会捂住耳朵尖叫。

在我最后一次见到茉莉娅时，她说她还有一个问题，但是她告诉她的妈妈她不想谈论这个问题了。当然我的耳朵灵敏起来，难道她想回避一些事情吗？我们必须继续追踪！其实不是，原来茉莉娅不想谈论的最后一个挑战，是她坐在就诊的长椅上会焦虑，但是她已经想出解决它的方案。我和她说，作为一个研究人员，我都要向她请教了。接着茉莉娅，这个令人吃惊的二年级女孩，安排了所有的步骤：我知道当一些事情很困难时，我就更需要去做它，而不是回避它，然后它就会变得更容易。用一种有趣的方式去做，而不是一种严肃的方式；开始用小步子，然后一点点、一次次练习直到它变得容易。茉莉娅已经把解决焦虑的课程学得很好，可以准备"毕业"了。之前，当事情干扰她时，她会无法等待地跑来寻求帮助。现在，她想与她的朋友们一起玩耍、学习，重新回到了愉快的生活。茉莉娅的妈妈现在正在克服自己的焦虑，她还从女儿那里获得了启发。"我需要改变之前对未来生活的规划，我发现即使女儿有焦虑症，但她的未来仍是光明的。"

不是所有的孩子都能像茉莉娅这么快地掌握要领并触类旁通，能全身心地投入到治疗中，但是可以确定的是，所有的孩子都想快点好起来，他们只是需要被告诉如何去做。当父母了解了课程计划，事情就会容易得多。我们知道你不能让孩子自己去摸索，或等待他们超越恐惧或克服它。我们需要给孩子引入一些新的词汇，给孩子以另一个角度思考的机会，这样做就能防止生活中的焦虑，确保一种更好的生活方式。

伊莎贝拉与亨利

　　父母非常喜欢孩子给他们的惊喜，尤其是当孩子应用他们在学校学到的东西时。因此当你的孩子开始在你身上应用焦虑管理策略时，不要感到惊讶。听听 7 岁的伊莎贝拉最近是如何教她的妈妈克服焦虑的："妈妈，其实这比你想的要容易，一次就做一点儿，你不用今天把它们都学会。"当她的妈妈在一月开始计划夏季旅行时，伊莎贝拉说："妈妈，距离夏天还有几个月？难道你不认为我们现在就该开始准备了吗？"这个孩子在几个月前还完全处于低落状态，无法说服自己去参加学校的旅行，不肯在时间安排上有所改变，也不肯看医生。现在完全不一样了。

　　再举一个亨利的例子，他今年 9 岁，严重的医疗问题使他的分离性焦虑症有所加剧。先前他的妈妈会一直在房间里陪着他。在治疗中，亨利学会了该如何独处，甚至喜欢这样做了。现在他的妈妈还是一起床就去看看亨利，尤其当她有一段时间没有看到他时。现在的亨利反对妈妈这样做："我不需要你来看我，我需要空间！"亨利的妈妈说："可是我过去需要这么做啊，你害怕一个人待着。""是的，妈妈，"亨利自豪地说，"'过去需要'，没有注意到那是过去时态吗？"亨利充满信心。现在他的妈妈正非常高兴地练习一种新的教养方法：不要如此担心你的儿子！父母可以设置一些课程，但是我们的孩子可能在这之前就已经掌握它了。

　　事实上，我们确实对孩子如何思考具有非常大的影响。我们不能要求他们达到什么样的程度，那是他们的权利。但是通过我们自己的所说所做，能鼓励他们理智地、现实地、自由地思考。这种尝试可以是严肃的，也可以是快乐的，就看你想怎么做，一切由你自己决定。无论你用想象中的麦克风对"焦虑虫"说："环路连接有误！"还是找到科学家的事例，你要让你的孩子知道有很多选择的机会。他感受世界的方式不是特定的，有很多事情他都能做。永远都来得及回到更好的生活，回到一种更健康、更快乐、更实际的生活轨迹。

　　本书是针对当代最普遍、最突出的心理问题——焦虑而写，特别之处在于作者关注的是经常不被觉察的儿童的焦虑。我非常幸运能读到此书，并翻译这样一本好书。翻译此书的过程，也是我学习和提高的过程，收获很大。希望这本书所传达的内容可以帮助那些正承受焦虑痛苦的孩子以及手足无措的家长。

　　其实，焦虑离我们很近，生活中充满着紧张、焦急、忧虑、担心和恐惧，这些情绪交织在一起，成年人都难逃羁绊，更何况是孩子。焦虑可能导致儿童的睡眠障碍、身体不适、学习困难、社交困难等问题，这本书教给大家如何觉察到儿童的焦虑，并且理解它、控制它，让正饱受焦虑症困扰的孩子更好地生活。

　　本书作者美国著名临床心理学家塔玛·琼斯基博士，多年来致力于帮助青少年克服心理焦虑的症状，积累了丰富的治疗焦虑症的临床经验，收集了大量的详实案例，为此书提供了坚实的基础。这本书分为三个部分。第一部分探讨了焦虑的成因、诊断标准以及治疗方法。第二部分主要探讨了焦虑的具体问题，包括焦虑症、恐惧症、社交焦虑、分离焦虑、强迫症、抽动障碍等。在第三部分中，作者简要地探讨了具体问题如何影响焦虑的水平。此外，本书还为家长提出了许多具体建议和指导原则。书中还有很多生动的图表,制定了非常详细的指导步骤和量表,每一步操作都有具体案例作为指导。

我认为这本书可以作为家长的指导书,一本能够让家长身体力行的书!如果儿童都可以远离焦虑的困扰,或者家长可以引导孩子理解自己的焦虑并且克服焦虑,那么生活将变得多么美好和有趣。琼斯基博士所做的事情非常有意义!

最后我想感谢刘立立、赵爽、许会达、张维娅、刘霜等朋友,谢谢你们在翻译过程中给予我的支持、帮助与肯定。感谢我的父母多年来为我默默地付出,给予我无忧无虑的童年,并且一直以来对我宽容与忍让。你们是最伟大的父母和最棒的老师。

翻译是一门艺术,博大精深,虽然我从事心理教育,但言辞表达仍深感欠缺,此书的翻译,如有错漏之处,请读者不吝指正。

未来，属于终身学习者

我这辈子遇到的聪明人（来自各行各业的聪明人）没有不每天阅读的——没有，一个都没有。巴菲特读书之多，我读书之多，可能会让你感到吃惊。孩子们都笑话我。他们觉得我是一本长了两条腿的书。

——查理·芒格

互联网改变了信息连接的方式；指数型技术在迅速颠覆着现有的商业世界；人工智能已经开始抢占人类的工作岗位……

未来，到底需要什么样的人才？

改变命运唯一的策略是你要变成终身学习者。未来世界将不再需要单一的技能型人才，而是需要具备完善的知识结构、极强逻辑思考力和高感知力的复合型人才。优秀的人往往通过阅读建立足够强大的抽象思维能力，获得异于众人的思考和整合能力。未来，将属于终身学习者！而阅读必定和终身学习形影不离。

很多人读书，追求的是干货，寻求的是立刻行之有效的解决方案。其实这是一种留在舒适区的阅读方法。在这个充满不确定性的年代，答案不会简单地出现在书里，因为生活根本就没有标准确切的答案，你也不能期望过去的经验能解决未来的问题。

湛庐阅读APP：与最聪明的人共同进化

有人常常把成本支出的焦点放在书价上，把读完一本书当做阅读的终结。其实不然。

时间是读者付出的最大阅读成本
怎么读是读者面临的最大阅读障碍
"读书破万卷"不仅仅在"万"，更重要的是在"破"！

现在，我们构建了全新的 "湛庐阅读" APP。它将成为你 "破万卷" 的新居所。在这里：

- 不用考虑读什么，你可以便捷找到纸书、有声书和各种声音产品；
- 你可以学会怎么读，你将发现集泛读、通读、精读于一体的阅读解决方案；
- 你会与作者、译者、专家、推荐人和阅读教练相遇，他们是优质思想的发源地；
- 你会与优秀的读者和终身学习者为伍，他们对阅读和学习有着持久的热情和源源不绝的内驱力。

从单一到复合，从知道到精通，从理解到创造，湛庐希望建立一个 "与最聪明的人共同进化" 的社区，成为人类先进思想交汇的聚集地，共同迎接未来。

与此同时，我们希望能够重新定义你的学习场景，让你随时随地收获有内容、有价值的思想，通过阅读实现终身学习。这是我们的使命和价值。

湛庐阅读APP玩转指南

湛庐阅读APP结构图：

三步玩转湛庐阅读APP：

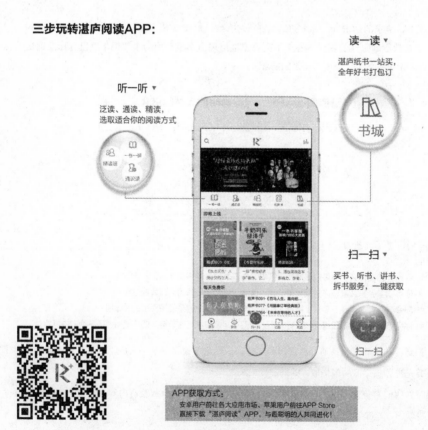

读一读 ▾
湛庐纸书一站买，
全年好书打包订

听一听 ▾
泛读、通读、精读，
选取适合你的阅读方式

扫一扫 ▾
买书、听书、讲书、
拆书服务，一键获取

APP获取方式：
安卓用户前往各大应用市场、苹果用户前往APP Store
直接下载"湛庐阅读"APP，与最聪明的人共同进化！

使用APP扫一扫功能，
遇见书里书外更大的世界！

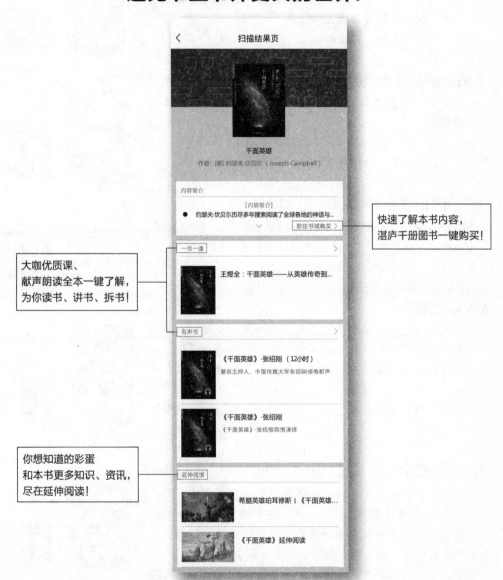

大咖优质课、
献声朗读全本一键了解，
为你读书、讲书、拆书！

你想知道的彩蛋
和本书更多知识、资讯，
尽在延伸阅读！

快速了解本书内容，
湛庐千册图书一键购买！

延伸阅读

《教出乐观的孩子》（珍藏版）

◎ 积极心理学之父马丁·塞利格曼教养力作，畅销全球 20 年。

◎ 中国教育风云人物孙云晓主编推荐。

◎ 让孩子受用一生的幸福经典。

使用"湛庐阅读" APP，"扫一扫"获取本书更多精彩内容 ISBN 978-7-5502-9045-7

《全脑教养法》（经典版）

◎ 风靡美国的发展式教育理念，美国心理学家丹尼尔·西格尔力作。

◎ 53 幅插图，12 个方法，4 大年龄段实践指南。

◎ 为你揭秘闻所未闻的脑科学知识，破解种种育儿难题。

使用"湛庐阅读" APP，"扫一扫"获取本书更多精彩内容 ISBN 978-7-5502-8857-7

《由内而外的教养》（10 周年纪念版）

◎ 美国著名心理学家丹尼尔·西格尔经典作品。

◎ 美国知名导演史蒂芬·斯皮尔伯格鼎力推荐。

◎ 最佳教养，从父母的自我接纳开始。

使用"湛庐阅读" APP，"扫一扫"获取本书更多精彩内容 ISBN 978-7-5502-8878-2

《妈妈教的数学》

◎ 中国奥数第一人孙路弘老师首度公开幼年成长日记，还原妈妈对自己进行数学启蒙的生活场景，总结其中的数学教学方法，让每位妈妈都能够"零门槛"带领孩子进入数学天地。

◎ 抓住孩子的数学启蒙敏感期，让原始的求知动机驱动孩子的一生。

使用"湛庐阅读" APP，"扫一扫"获取本书更多精彩内容 ISBN 978-7-213-07664-0

《爸爸教的数学》

◎ 继《妈妈教的数学》之后，孙路弘老师再度创作《爸爸教的数学》，从孩子思维发展的认知规律出发，结合多年数学任教经验，提炼出数学思维开发的精髓和工具，让每位爸爸都能找到适合自己孩子的数学思维培养方式。

◎ 妈妈，启发数学兴趣；爸爸，精深思维方法。从兴趣到思维，成功跨越孩子数学能力的分水岭。

使用"湛庐阅读" APP，"扫一扫"获取本书更多精彩内容 ISBN 978-7-213-08030-2

图书在版编目（CIP）数据

让孩子远离焦虑：帮助孩子摆脱不安、害怕与恐惧的心理课 /
（美）琼斯基著；吴宛蒙译.—杭州：浙江人民出版社，2014.1
ISBN 978-7-213-05932-2

Ⅰ.①让…　Ⅱ.①琼…　②吴…　Ⅲ.①小儿疾病-焦虑-诊疗　Ⅵ.
①R749.94

中国版本图书馆 CIP 数据核字（2014）第 011168 号

浙江省版权局
著作权合同登记章
图字：11-2013-285号

上架指导：家庭教育 / 心理学

让孩子远离焦虑：帮助孩子摆脱不安、害怕与恐惧的心理课

作　　者：［美］塔玛·琼斯基　著
译　　者：吴宛蒙　译
出版发行：浙江人民出版社（杭州体育场路347号　邮编　310006）
　　　　　　市场部电话：（0571）85061682　85176516
集团网址：浙江出版联合集团　http://www.zjcb.com
责任编辑：王方玲
责任校对：张谷年
印　　刷：石家庄继文印刷有限公司
开　　本：720 mm × 965 mm　1/16　　**印　张：**15.5
字　　数：22 万　　　　　　　　　　　**插　页：**3
版　　次：2014 年 3 月第 1 版　　　　　**印　次：**2018 年 5 月第 9 次印刷
书　　号：ISBN 978-7-213-05932-2
定　　价：46.90 元

如发现印装质量问题，影响阅读，请与市场部联系调换。